最新！　世界の常識検定

一田和樹

contents

本文デザイン／宇都宮三鈴
本文イラストレーション／富永三紗子

最新！　世界の常識検定

まえがき

本書は２０２０年5月20日から２０２１年8月6日にかけて、ｗｅｂ集英社文庫で連載した「最新！　世界の常識検定」をまとめたものです。毎月２問〜４問のクイズを出題し、解説した連載で、全部で52問あったクイズの中から50問を選び、最新の情報に更新し、コラムを加えてまとめました。

よく目にするのに正しい意味がわからない言葉や、わかったつもりになっているけれどほんとうは違っていたことなどを集めています。

日々の暮らしの中では、新しいことや小さな変化には気づきにくいですが、私たちの暮らしている社会は、めまぐるしく変化しています。逆に言うと、それだけ急な変化が可能な時代なのだとも言えます。たとえばコロナで一斉にオンライン化が進み、オンラインのサービスの市場が拡大しましたが、以前のパンデミックではこんなことは起こりませんでした。インターネットが普及していなかったからです。

社会が可塑性に富んでいることは、さまざまな事態に対応しやすくなった反面、「どのような変化」を選ぶかでその後が大きく変わってくることも意味します。これまでのパンデミックは自然災害でしたが、今回のパンデミックは政治的イベントと言われます。それは、これまでに比べて選択肢がたくさんある中で、どれを選ぶかは政治的な判断にまかされたからです。

パンデミックは目に見える変化を起こしましたが、目に見えにくい変化もたくさんあります。たとえば、私たちは平和で民主的な世界に暮らしている。世界のどこかで紛争は起きているものの、かつての世界大戦のような大規模な戦争は起きていない。民主主義が理念として共有され、人権が尊重される時代になった。多かれ少なかれ、そんな風に思っています。本当にそうでしょうか？　みなさんに質問です。

現在、世界では民主主義の国が多数を占めている、というのは正しいのでしょうか？

1. 正しい

2. 間違っている

本編のコラムに詳しく書きましたが、実は世界の半分以上の国は民主主義ではなく、独裁主義あるいは全体主義なのです。形式上、選挙は行っているものの、実態はそうではありません。ロシアはその代表的な例です。発展していない国が多いためではなく、民主主義の国が減少しているのです。これは、典型的な目に見えない変化と言えます。

同じように、私たちは人間は平等であり、人権が尊重される時代に生きていると考えています。しかし、そうではありません。『監視資本主義』（東洋経済新報社、２０２１年）という本を書いたショシャナ・ズボフによると、現代は経済的・社会的格差が産業革命以前の封建時代に戻っています。その一方で私たちの意識は封建時代ではなく、人権を尊重する意識のままという耐えがたいギャップがあると指摘しています。

いささか固い話になりましたが、新しい常識を知ることによって見えてくる世界が変わり、よりよい選択肢を選ぶことができるようになります。レベル１からレベル10までの新常識クイズに挑戦してみてください。

クイズ作成にあたり参考にした資料は量が多いため、別途インターネット上にまとめました。左記のＵＲＬにアクセスしていただくと、クイズのレベル別に参考資料が掲載されております。

https://note.com/ichi_twnovel/m/m43d2800b4f22

また、本書では１ドル＝１００円で換算しています。

レベル1

これくらいは常識？　それとも……。
世界の新常識クイズ、ここからスタート！

レベル1【第1問】

世界のSNS利用者数トップ10に
入っていないものを選んでください。

❶ ツイッター

❷ TikToK

❸ WeChat

❹ インスタグラム

❶ ツイッター

日本では利用者数の多いツイッターですが、世界では必ずしもそうではない。世界全体で利用者数が多いのはフェイスブックならびにそのグループ、次いで多いのは中国企業のSNS。

意外と知らないのが、ＳＮＳの世界シェアである。なぜなら日本でよく利用されているサービスと、世界でよく利用されているサービスには大きな違いがあるためだ。どうしても身近で多く利用されているものが、世界でも普及していると思いがちだ。たとえば、日本では利用者数の多いツイッターだが、世界では必ずしもそうではない。ＬＩＮＥにいたってはほぼ日本の利用者中心となっている。

２０２１年の世界の利用者数トップ10は次のようになる。数字の単位は百万人でアクティブな利用者数である。

1位　フェイスブック　2,740
2位　YouTube　2,291
3位　WhatsApp　2,000
4位　Facebook Messenger　1,300
5位　インスタグラム　1,221
6位　WeChat　1,213
7位　TiKToK　689
8位　QQ　617
9位　Douyin　600

10位　Weibo　511

世界全体で利用者数が圧倒的に多いのはフェイスブックならびにそのグループである。1位のフェイスブック（約27億人）を筆頭に、3位のWhatsApp（メッセンジャー）、4位のFacebook Messenger（メッセンジャー）、5位のインスタグラムと続く。フェイスブックグループだけで、のべ70億人以上の利用者を抱えている計算だ。ちなみに2021年における世界の人口は約78億人である。圧倒的な数だ。

メッセンジャーとは、メッセンジャー・アプリあるいはインスタント・メッセンジャーの略称で、LINEのようにメッセージを送り合えるアプリのことを指す。SNSの中でも直接メッセージを送り合うメッセンジャーという分野では特にフェイスブックグループの強さが際立っており、WhatsAppとFacebook Messengerが圧倒的なシェアを誇っている。

フェイスブックグループに次いで多いのは中国企業のSNSである。6位WeChat（メッセンジャー）、7位TiKToK（動画）、8位QQ（メッセンジャー）、9位Douyin（TiKToKに似たサービス）、10位Weibo（ツイッターに似たサービス）がランクインしている。

SNS利用者数トップ10の中でフェイスブックグループでも中国企業のSNSでもな

いのは、2位のYouTube（グーグルグループ）の約23億人のみとなっている。世界のSNSはフェイスブックグループと中国企業のSNSに二分されていると言っても過言ではないだろう。

　なお、ツイッターは16位で約3億人の利用者に留（とど）まっている。

レベル1【第2問】

「We Are Social」がとりまとめた『DIGITAL 2021』によると、日本のインターネット利用時間は調査対象42カ国中第何位でしょう？

❶ 10位以内

❷ 11位以下20位以内

❸ 21位以下30位以内

❹ 最下位

❹ 最下位

私たちはなんとなく日本はいまだに先進国であり、インターネットの利用も進んでいると思いがちである。しかし、もはやそうではなくなっている。

世界的なクリエイティブ・エージェンシーの「We Are Social」がとりまとめた『DIGITAL 2021』の16歳から64歳までの1日当たりのインターネット利用時間ランキングによると、日本は4時間25分で世界平均の6時間54分を大きく下回り、調査対象国42カ国の中で最下位となっている。ちなみに下位5位は次の5カ国である。

42位（最下位）　日本　4時間25分
41位　デンマーク　5時間16分
40位　中国　5時間22分
39位　ドイツ　5時間26分
38位　オランダ　5時間28分

上位は次の5カ国である。

1位　フィリピン　10時間56分
2位　ブラジル　10時間08分
3位　コロンビア　10時間07分
4位　南アフリカ　10時間06分

5位　アルゼンチン　9時間39分

インターネット利用時間上位に欧米諸国が入っていないことに驚く方もいると思うが、この傾向は6位以下も同じである。現在、世界でより長い時間、日常的にインターネットを利用しているのはアジアやアフリカ、ラテンアメリカの国々、いわゆるグローバル・サウスの人々なのである。インターネット利用時間が多そうに思えるアメリカですら世界平均をわずかに上回る7時間11分で世界21位なのだ。

ただし、ネット利用時間が短いからといって、ネットが社会におよぼす影響が小さいとは限らない。マスメディアがネットのトレンドを紹介する頻度は増しており、ネットのトレンドが他のメディアに広がる動きも増えている。最近は「コタツ記事」や「非実在型炎上」記事も増えている。

「コタツ記事」とは取材を行わずにブログなどの情報をもとに書いた記事である。「非実在型炎上」とは炎上の対象が存在しないものを指す。SNSのわずかな投稿をもとに「○○が炎上！」とメディアが取り上げ、それによって炎上が拡散する。

コラム

変化する世界と変わらない私たち

技術革新により世界のあり方は大きく変わり、いつの間にか貨幣＝お金は世界でもっとも共通した価値となった。お金は言葉や文化や思想の壁を越えて、世界中で同じように利用できるほぼ唯一のものとなった。インターネットは世界を瞬時に結び、コミュニケーションの可能性を大きく広げ、重要なインフラのひとつとして機能している。

その一方で私たち自身はほとんど変わっていない。昔の巨大なコンピュータよりも現在のノートパソコンのほうが優秀だが、私たちの機能は変わらずで、感情や意識も変化に追いついていない。

人間が作り出すものはめまぐるしく変化しているのに、それを使う私たちはさほど変化していない。そのズレは時を追うごとにどんどん広がっており、すでに私たちの「こういう世の中になっている」という認識は、「現実の世の中」とは大きく隔たっている。そしてそれがなにか問題が起きた時に問題を把握し、対処する際の妨げになる。

たとえば日本ではツイッターはSNSの主流のひとつだが、世界的に見ると16位と決してシェアは高くない。日本では名前を聞いたこともないような中国のSNSのほうがはるかに多くの利用者を抱えている。では、なぜトランプ元大統領のツイッターでの発言がよく話題になったかというと、ツイッターは政治的に利用されやすいSNSだからだ。実際の利用者のシェアから見ると小さいのに、政治的に利用されやすいためにメディアには取り上げられやすいわけなのだ。そのことを知っているのと知らないのとでは、投稿を読む際の心構えが変わってくる。

ツイッターで広がった情報が誤りだったことはたくさんある。それどころか、誤った情報のほうが正しい情報よりも広がりやすくなっている。同様に怒りや憎悪といったネガティブな感情を含んだ投稿も、より多く拡散する。ツイッターを通して世の中を見ている人は、知らないうちに誤った情報や怒りや憎悪にさらされ、影響を受けることになり、場合によってはその拡散に加担することになる。しかし、あらかじめ「政治的に利用されやすい」ことを知っていれば受ける影響を緩和できる。

私たちは世界の中心は欧米であり、民主主義は世界の標準だと思いがちである。でも、よく考えれば世界的に人口の多い国の多くはアジアやアフリカあるいは南米にあり、人口の増加率もそれらの国のほうが大きい。人口が多いということはそれだけで威力がある。クイズ第1問にもあったように、世界のSNSシェアはフェイスブックグループと中国系サービスの寡占状態になっている。

中国や中国の一帯一路という構想に参加している国は、多数派の欧米に対抗するものと考えてしまう。しかし、人口で言えばすでに欧米は多数派ではなくなっている。日本が民主主義国家であるということは、私たちは衰退し少数派になりつつある政治思想グループに属しているということである。このことを知らないと、「非民主主義国家がなにをやろうとしょせんは世界の主流ではない」と考えてしまうが、実際には、「衰退している民主主義グループが最後のあがきをしている」という状況に近い。

そう考えると、中国やインドあるいは他の新興国の狙いが見えてくる。非力ながらも欧米の列強に対抗する時期はとうに終わり、衰退する欧米に対して新しい彼らの時代の価値観と社会のあり方を提言している。

日本で育った多くの人はいまだに欧米が世界の主流という意識にとらわれがちだ。サイバー面ではロシアも強国だし、これから欧米以外の国の影響力が増してくる。また、テロ組織のように国家ではない存在の影響力も国家並みになってくる。

こうした知識は教養としてだけでなく、遠くない未来に起きる事件や出来事にうまく対処するための大事な武器になる。この本が読んだ方の気づきにつながり、武器になることを祈っている。

【第3問】

Q

オンラインサロンについての
正しい説明を選んでください。

---

❶ 金儲(かねもう)けの方法を教える有料会員制のサービス

❷ 新聞社などのメディアが利用者のために開設している無料のコミュニティサービス

❸ さまざまなテーマの有料会員制コミュニティであり、運営主体は多種多様

❸ さまざまなテーマの有料会員制コミュニティであり、運営主体は多種多様

オンラインサロンとは、「有料会員制のウェブサービス」で、情報提供や双方向のコミュニティサービスを提供している。テーマは多様で、オンラインサロンを開設するためのプラットフォームも多種存在する。

最近、ネットでよく見るようになったオンラインサロン。オンラインサロンとは「有料会員制のウェブサービス」である。情報提供や双方向のコミュニティサービスを提供している。テーマは多様で、アーティスト、実業家、作家などさまざまな人がサロンを開設している。内容も技術やノウハウを提供するもの、人脈を広げるためのもの、ファンクラブなどいろいろなタイプがある。オンラインサロンを開設するためのプラットフォームも多種存在する。

オンラインサロンのプラットフォームと、そこで開設されている主なオンラインサロンとしては次のようなものがある。会費は月額で、会費および会員数は２０２１年５月30日に確認したものである。

●Salon.jp　https://salon.jp
西野亮廣エンタメ研究所（９８０円～）、ファンタジック空間デザインゼミ（９８０円）、Kaizen Platform の舞台裏（９８０円）など。

●ＤＭＭオンラインサロン　https://lounge.dmm.com
堀江貴文イノベーション大学校（会員９８０人、１万１０００円）、落合陽一塾（１万１０００円）、オンラインカルチャースクールＺＥＮ（代表市川海老蔵、１万５０００円）、NoCodeCamp プログラミングを使わないＩＴ開発（宮崎翼、会員２５３人、２４８０円、５０００円）など。

●A-port オンラインサロン　https://a-port.asahi.com/salon/
佐藤優の　古典の名作で磨く！「読み解く技法」教室（会員64人、1万円）、堀潤が、伝わる話し方、お教えします。（会員15人、1万円）、喫茶　クリームソーダ（ウイケンタ、会員95人、3000円）など。
●CAMPFIRE Community　https://community.camp-fire.jp
かもあきお花畑サロン（会員1175人、3000円）、スタイリスト金川文夫『プチプラ高見え女子力向上委員会』（会員1359人、550円）、カケラ宝石に新たな居場所を。-デザインアトリエカケラ-（会員2866人、1000円）、つんく♂エンタメ♪サロン～「みんなでエンタメ王国」（会員1042人、1000円）など。
●レジまぐオンラインサロン　https://regimag.jp/navigation/salon/
●music.jp オンラインサロン　https://music-book.jp/salon
●FANTS　https://fants.jp

【第4問】

Q

仮想通貨についての正しい説明を
選んでください。

---

❶ 主としてインターネット上での代金の支払いに利用でき、法定通貨と交換できる

❷ ネット犯罪の資金のやりとりに用いるために開発された通貨

❸ ネット経済を投機対象にした投資商品

❶ 主としてインターネット上での代金の支払いに利用でき、法定通貨と交換できる

仮想通貨でもっとも有名なものはビットコインで、投資目的で購入する人も増えている。一般的な仮想通貨は国家や銀行の関与なしにやりとりされる。

仮想通貨あるいは暗号資産は、主としてインターネット上での代金の支払いに利用でき、円やドルなどの法定通貨ではないが、法定通貨と交換できる。また、プリペイドのように法定通貨の裏付けはない。もっとも有名なものはビットコインで、法定通貨との交換比率が上昇していることから投資目的で購入する人も増えている。

一般的な仮想通貨は国家や銀行の関与なしにやりとりされる。日本では2009年の「資金決済に関する法律」の改正において仮想通貨の扱いが定められた。

仮想通貨は国家や銀行の関与がないとされてきたが、国家が発行する仮想通貨の構想も進んでいる。たとえば中国にはデジタル人民元構想がある。すでに2019年末から実験が開始されており、実験対象の都市では、飲食店など132万カ所で利用できる。2021年6月末までに取引金額は6000億円になった。クロスボーダー（国境を越えた）の実験も視野に入れている。EUもデジタルユーロ導入に向けて動き出した。

また、法定通貨の裏付けについてもフェイスブックが構想中のDiem（旧Libra）は既存の法定通貨と連動させることが計画されている。

仮想通貨は現在進行形で広がり、変化しているため、その定義も変化し続けている。

【第5問】

Q

「完全な民主主義」の国に暮らす人口は
2020年の時点で世界の何％でしょう？

---

❶ 30％以上

❷ 20％以上

❸ 10％以上

❹ 10％未満

❹ 10%未満

世界の167地域を対象にした調査で、調査を開始した2006年の時点では13%だったが、それ以降下がり続けている。

民主主義指数は、世界の民主主義の状況を示すひとつの指標である。「完全な民主主義」という言葉は、イギリスのエコノミスト誌の研究所であるエコノミスト・インテリジェント・ユニットが定期的に発表している民主主義指数で用いられている指標だ。

2006年から167地域を対象に調査を実施、発表しているが、最初の2006年以降、世界全体の民主主義指数は下がり続けている。結果はレポートにまとめられ、無償で公開されている。最新版は『Democracy Index 2020: In sickness and in health?』である。

民主主義指数では「完全な民主主義」「瑕疵(かし)のある民主主義」「ハイブリッド体制」「権威主義体制」の4段階に分けている。その中で、「完全な民主主義」の国数は13・8%で人口では8・4%とかなり低かった。

コラム

日本はインターネット先進国？

日本のインターネット利用について、先進国の中では中くらいかそれ以上と思っている人は多いだろう。「インターネットの利用」が利用時間を指すのであれば、世界でも最低だというのはクイズ第2問の通りである。さらに世界をリードするようなサービスがないことは、日頃使っているSNSやクラウドサービスのほとんどが日本のものでないことからすぐわかる。日本製のサービスで国内で普及しているのは、ヤフーとLINE、楽天市場くらいだろう。

利用の内容だと、たとえば『DIGITAL 2021』（2021年1月、We Are Social、https://wearesocial.com/digital-2021）の人口当たりのインターネット利用者率では世界12位と上位だが、電子商取引の利用では29位で世界平均を大きく下回っている。ウェブ統計に関するサイトAlexaでもっともアクセスされるwebの上位20位には日本のものはなく、ストリーミングで動画を見ている率は世界最低2位で、人口に対するSNS利用者数も29位と下位だ。

日本がかつて技術と経済で世界をリードする存在だったことは確かだが、我々日本人の中ではその頃の意識がまだ更新されていない。日々ニュースを見ていれば、斬新だったり、世界を席巻するような日本のネットサービスがほとんど出てこないことはすぐにわかる。海外で普及したものが日本に入ってくることが多いということは、その利用は海外よりも遅れることになる。海外以上に急速に普及しなければ、日本での利用が海外の水準に追いつくことはない。

日本は世界的に見て、ネットサービスの開発も利用もあまり進んでいない国なのである。

レベル 2

当たり前に利用しているインターネット。
でも、その実態は知らないことばかりかも？

レベル2【第1問】

Q

自動車のハッキングについての
正しい説明を選んでください。

---

❶ すでに深刻な問題となっており、その対策が日本でも法制化される見込み

❷ 理論的には可能であるが、まだ研究段階

❸ 現在、各国で独自に対策を進めているが、日本では目立った動きはない

A

❶ すでに深刻な問題となっており、その対策が日本でも法制化される見込み

自動車のハッキングは現実に実行可能。今後、コネクテッドカーや自動運転が普及することにより、その脅威はさらに拡大すると考えられる。そのため、各国では自動車のサイバーセキュリティに関して法整備を進めている。

現在の自動車は、ＩＴ技術の集積体とも言える製品となっており、ＰＣや航空機以上に複雑なシステムになっている。コンサルティング大手のマッキンゼー社のレポートによると、最新の自動車には約１５０の電子制御ユニットと、約1億行のコードが搭載されている。これに対して旅客機のコードは１５００万行で、ＰＣのＯＳのコードは４０００万行にすぎない。

それぞれの電子制御ユニットは、エンジンやブレーキ、ドアの開閉などさまざまな機能を担当しており、車載ネットワークで結ばれている。車載ネットワーク方式のデファクトスタンダードは、ＣＡＮである。それ以外にＬＩＮ、FlexRayなどの方式が存在する。ただ、必ずしも

セキュアというわけではなく、２０１０年にはワシントン大学の研究者がＣＡＮの危険性を指摘したほか、２０１３年のDEFCON21でも危険性が実証された。その後、２０１５年にはジープ・チェロキーに遠隔地から侵入し、操作する実験も行われ、その結果、メーカーは約１４０万台をリコールすることになった。２０２０年には、中国のＩＴ大手テンセントのセキュリティチーム Keen Security Lab がトヨタのレクサスＮＸの脆弱性（ぜいじゃくせい）を暴いた。同チームは他のメーカーの問題もレポートしている。

今後コネクテッドカーや自動運転が普及することにより、その脅威はさらに拡大することが予想される。そのため２０２０年６月にＵＮＥＣＥ（国連欧州経済委員会）のＷＰ29（自動車基準調和世界フォーラム）で自動車のサイバーセキュリティに関する国際基準が成立した。これは自動車のサイバーセキュリティについて対策すべき内容を定めたもので、各国ではこれを法制化する準備を進めており、日本でも２０２２年に法制化される見込みである。

レベル2【第2問】

Q

スマホでインターネットを利用している人は、世界のインターネット利用者の何%でしょうか？

---

❶ 50%未満

❷ 50%以上70%未満

❸ 70%以上90%未満

❹ 90%以上

❹ 90%以上

『DIGITAL 2021』によれば、世界全体のインターネット利用者の91.5%がスマホ経由でインターネットを利用している。

「We Are Social」がとりまとめたレポート『DIGITAL 2021』には、利用時間についてのデータも掲載されている。

1日当たりのモバイルインターネット利用時間を見ると、世界平均は3時間39分で日本はもっとも少なく1時間37分となっている。世界トップ10は次の通りである。なお、日本の利用時間は2020年に公表された総務省の調査結果では1時間25分となっており、さらに短い。『DIGITAL 2021』と総務省の調査の差は、調査方法や調査対象が異なっていることが原因と考えられる。たとえば『DIGITAL 2021』の調査は16歳から64歳までを対象としているが、総務省の調査では13歳から69歳までとなっており、弱干調査対象が広い。

1位　フィリピン　5時間54分
2位　ブラジル　5時間17分
3位　タイ　5時間07分
4位　インドネシア　5時間04分
5位　コロンビア　5時間02分
6位　ケニア　4時間58分
7位　ナイジェリア　4時間55分

7位　南アフリカ　4時間55分
9位　アルゼンチン　4時間52分
10位　メキシコ　4時間39分

モバイル、特にスマホ経由でインターネットを利用する人の比率は世界的に増加しており、日本でもその傾向が顕著にあらわれている。総務省の調査では休日のモバイル経由でのネット利用時間がいちじるしく長く、特に10代、20代において突出している。モバイルの利用増加にはさまざまな理由が考えられる。手軽かつ常に持ち歩いているためや、待ち合わせや行き先の確認など移動中の利用に便利なことも理由のひとつだろう。また、発展途上国などではモバイル機器のほうがパソコンなどよりも安価に購入、利用できることも大きな要因と考えられる。

インターネットの普及が遅れている国に無償でインターネットを提供するサービスをフェイスブックが行っており、そうした国では主に安価なモバイル機器でインターネット接続ができるようになっている。フェイスブックのこのサービスによってインターネット利用が飛躍的に伸びた国は多く、世界全体のモバイル利用率を押し上げる要因のひとつとなっている。

レベル2【第3問】

Q

日本のネットニュースの信頼度と
利用度について当てはまるのはどれでしょう？

---

❶ 信頼度が高いと利用度も高い

❷ 信頼度の高低と利用度の高低に関係はない

❸ 信頼度が低いと利用度も低い

❷ 信頼度の高低と利用度の高低に関係はない

日本のネットニュースの利用者は、メディアの信頼度が低くてもネットニュースを利用している。その理由は「使いやすいから」。

『アフターソーシャルメディア　多すぎる情報といかに付き合うか』(法政大学大学院メディア環境設計研究所編、日経BP、2020年）によると、ネットニュースの利用者はメディアの信頼度が低くても利用していることがわかった。

ネットニュースは、Yahoo!ニュースなどのニュースアプリ、SNS、YouTubeなどの動画サイトについて回答を得ており、ニュースアプリは信頼度が44%で利用度は53%、SNSは信頼度が14%で利用度が28%、動画サイトは信頼度が13%で利用度が39%となっており、利用度に比べて信頼度が低いことがわかった。

これに対してテレビのNHKニュースは信頼度が80%で利用度が72%、新聞は信頼度が77%で利用度が59%と信頼度が利用度を上回る結果となっていた。

利用している理由については、「無料だから」「使いやすいから」「さまざまなメディアによる情報をまとめて見ることができるから」が多く、若年層では「使いやすいから」が過半数を占めた。「正確な情報を知ることができるから」は10%未満だった。

ニュースが信頼できなくても利用する傾向はアメリカのシンクタンク、ピューリサーチセンターの調査でも明らかになっており、日本に限らず世界的な傾向となっている可能性がある。

コラム

見えないインターネット

私たちはインターネットに囲まれて暮らしている。スマホは当然のようにインターネットの利用を前提に作られているし、カーナビもネットにつながっている。インターネット通販大手アマゾンのＡｌｅｘａは音声で命令できる便利な道具で、当然インターネットにつながっているし、グーグルなど他社も似たようなものを提供している。キャッシュレスでの支払いもインターネットを使っている。いつの間にか私たちの生活にとってインターネットはなくてはならないもの、あるのが当たり前のものになった。

その一方で私たちの多くは、インターネットの仕組みをよく知らない。世の中にはテレビのように仕組みを知らなくてもほとんど問題がないものもあるが、自動車のようにある程度仕組みがわかっていないと利用に際して不都合や危険がともなうものもある。インターネットは後者だ。

ウイルスに感染すれば被害を受けるし、個人情報を盗まれて悪用されることもある。インターネットの基本的な危険とその回避方法については、すでにいろいろな書籍や資料が存在するが、その多くはパソコンやスマホに関わるもので、その他のインターネットに接続されているものについてはあまり触れられていない。たとえば、自動車をインターネットの脅威から守る方法について利用者向けに解説した書籍や資料は数少ないし、アマゾンのＡｌｅｘａも同様だ。これから日常的に使う多くの製品がインターネットと接続されるようになってくると、被害に遭う確率は高くなり、深刻な事件に発展することもある。コロナ禍で増加した在宅勤務を狙った攻撃も観測されている。

ウイルスに感染してデータが破壊されたり、個人情報を盗まれる危険は自動車やアマゾンのＡｌｅｘａでも同じで、場合によってより深刻なこともある。たとえば、自動車は事故を起こす可能性がある。クイズ第1問の解説にも書いた通り、自動車のサイバーセキュリティは火急の課題になってきている。しかし、いかに対策してもサイバー空間では、「攻撃者有利の法則」があるため、守り切れない場合も出てくる。深刻な事件が起きるのは時間の問題なのである。

こうした危険を事前に察知し、回避するには、「どこに危険があるか」「どのような危険があるか」「どうすれば回避できるか」を知っておく必要がある。本書でお伝えできるのは、「どこに危険があるか」までである。その先は製品ごとに異なるので、ご自身で調べていただくしかない。そして新しい情報を取得して、更新していかなければならない。

もうひとつ知っておくべきことがある。それはプラットフォーム化だ。プラットフォームとは、平たく言うと、多くの利用者が利用するための共通の基盤となる仕組み＝システムのことである。ＳＮＳは多くの利用者がコミュニケーションするための共通の基盤を提供するプラットフォームだ。同様に宅配サービスのUberはさまざまな店舗の商品を宅配するためのプラットフォーム、AirBnBは部屋を貸したい人のためのプラットフォームである。

そのほかにも、ネットに接続して自動走行できる自動車のためのプラットフォーム、農業の生産から流通・小売りまでをつないだプラットフォームなどさまざまな分野に広がっている。

こうしたプラットフォームを利用していることは通常あまり利用者には意識されない。しかし、これらは前提として利用者の個人情報を蓄えており、問題が起きた時のリスクは少なくない。ここでもまた「どこに危険があるか」「どのような危険があるか」「どうすれば回避できるか」を知っておく必要がある。

文字にすると、えらく面倒でやっかいなことのように思えるかもしれないが、これまでリアルの生活でやってきたことと同じである。たいていの人は治安の悪い場所には行かないし、詐欺に遭わないようにしている。そのために情報を集めたり、ニュースで聞いたことを心に留めておく。それは「どこに危険があるか」「どのような危険があるか」「どうすれば回避できるか」を知る実践をしているということだ。

インターネットはこうした危険を予測し、回避するための情報提供が根付く前に利用が先行してしまっているため、ニュースなどで得られる情報が限られている。いずれ充実してくるとは思うが、それまでは個人でも意識して注意しておくべきだろう。

レベル2【第4問】

ネット、特にSNSで拡散しやすい発言は
次のどれでしょう？

---

❶ わくわくする話題

❷ リラックスできる話題

❸ ポジティブな話題、幸福感や笑いを喚起する話題

❹ ネガティブな話題、怒りや嫌悪を喚起する話題

❹ ネガティブな話題、怒りや嫌悪を喚起する話題

ネット、SNSでは怒りや嫌悪の感情が拡散しやすいことが、MITなどの研究で明らかになっている。ネット炎上やSNS上で見られる激しい口論の原因の一端は、負の感情が拡散しやすいことにあるのかもしれない。

MIT（マサチューセッツ工科大学）メディアラボのレポート「The Spread of True and False News Online」によると、拡散しやすいのは驚きと嫌悪の感情だったと指摘されている。このレポートはフェイクニュースに焦点を当てているが、実際に「その時」ツイート（もしくはリツイート）されたものを分析対象にしている。フェイクニュースと判明したのはツイートしてからしばらく経ってからなので、ツイートした時点では利用者自身にとってはただのツイートと変わらない。

また、2017年にニューヨーク大学は50万件のツイートを分析した結果、感情的な内容はそうでないツイートよりもバイラルで拡散が20％高く、特に同じグ

ループ（保守あるいはリベラル）の中で拡散しやすいことを明らかにしている。世論調査を行っているアメリカのピューリサーチセンターのレポート、「Critical posts get more likes, comments, and shares than other posts」でも批判的な投稿はそうでないものより2倍のエンゲージメント（いいね！　やリプライなどの反応）があったことがわかった。

これらからSNSでは感情、特に負の感情を喚起する発言がより多く拡散されやすいことがわかる。

ネット上で人が負の感情に反応しやすいことは、ネット世論操作にもよく利用される。多くのフェイクニュースは特定の相手に対する批判など攻撃的な内容であることが多い。ニューズウィーク日本版（2020年10月7日）の記事、「ネット世論操作は怒りと混乱と分断で政権基盤を作る」では民主主義国におけるネット世論操作に負の感情がうまく利用されていることが明らかにされている。前述のMITメディアラボのレポートでは、感情を刺激するフェイクニュースは6倍速く拡散し、リツイートされる割合も2倍近い。

レベル2【第5問】

フェイスブックの利用者のうち北米と
ヨーロッパの利用者は合わせて何%でしょう？

❶ 70%以上

❷ 50%以上70%未満

❸ 30%以上50%未満

❹ 30%未満

❹ 30%未満

フェイスブックの北米とヨーロッパの利用者合計の割合は日間アクティブユーザー 28%、月間アクティブユーザー 25%。

フェイスブックは世界最大のSNSであり、その傘下にある各SNSはシェアの上位を占める。アメリカの企業であることなどから、なんとなく利用者は欧米中心のように思いがちだが、実際はそうではない。

2020年第4四半期のフェイスブック社の投資家向け資料によれば、フェイスブックの日間アクティブユーザー（DAUs、Daily Active Users）は約18・45億人、月間アクティブユーザー（MAUs、Monthly Active Users）は約27・97億人となっている。このうち、北米とヨーロッパの利用者は合わせてDAUsが5億人で28％、MAUsが7億人で25％となっており、いずれも30％を下回っている。

言葉を換えるとグローバル・サウス（アジア、アフリカ、ラテンアメリカ）が利用者全体の70％以上を占めているのである。利用者の割合に関して言えばフェイスブックはもはや欧米のSNSではない。

念のために申し上げておくと、これはコロナ禍のために起きた現象ではない。2年前の2018年第1四半期の段階で北米とヨーロッパの利用者はDAUsが4・67億人で32％、MAUsが6・18億人で28％だった。その割合は徐々に減少している。

数字を見てわかるように、欧米での利用者が減っているわけではない。北米とヨーロッパのDAUsは4・67億人から5・03億人に増加、MAUsも6・18億人から6・77億人に増えている。その他の地域の利用者の増加のペースが速いのだ。2018年第1四半期における全体のDAUsは14・5億人、2020年第4四半期は18・5億人。増加した4億人のうち3・6億人は欧米以外の地区ということになる。

ちなみに日本ではヤフーとLINEの経営統合によるのべ3億人、およそ1億人の利用者を抱えた巨大サービスが誕生することで話題になった。しかし、3億人や1億人はフェイスブックが1年間で獲得する利用者の数にすぎず、フェイスブックグループのインスタグラムやWhatsAppなどを含めるとさらに多数の利用者が増加している。この差は圧倒的であり、その増加の源は欧米ではない。

コラム

ネットは感情で人を誘導する

論理的であることや科学的であることはよいこととみなされ、多くの人がそうあろうとしている。しかし、人が願う「幸福」や「平和」は全人類で共有可能な論理的かつ科学的な定義がかなり難しいものであり、時代や文化あるいは家庭環境や個々人の性格によっても異なってくる。それらは多様であり、一般化しにくい。すると我々は論理的、科学的でありたいと思いながら、論理的、科学的ではないものを求めているという矛盾を抱えることになる。人がデマや陰謀論、フェイクニュースに飛びついてしまうのは、そういう矛盾のせいかもしれない。

ネットは人の抱えている矛盾を拡大してしまった。ネットには莫大(ばくだい)な情報があり、常に新しい情報が流れてくる。アメリカでも日本でも多くの人は情報が多すぎると感じており、そのため情報の信頼性よりも利便性を優先しているという調査結果が出ている。SNSで流れる情報は信頼度はいまひとつだが、手軽に読めるのでそちらを利用してしまう。

日本ではまだNHKや新聞などのニュースが信頼されているものの、やはりニュースアプリやSNSなどの信頼度の低い情報が利用される結果となっている。

特定のニュースサイトやアプリを利用する理由で、「正確な情報を知ることができるから」をあげた回答者はどの年齢層でも数パーセントに留まった（二桁だったのは50歳以上で12％のみ）。これに対して、「使いやすいから」という回答はすべての年齢層で40％以上となり、最大で62％となった。利用に当たって「信頼」という価値よりも利便性を重視する割合が高くなっているのだ。

アメリカでも同様の傾向が見られる。ピューリサーチセンターの調査では、SNSのニュースは不正確であると回答しながらも便利だから利用する者が多かった。その結果、利便性は高いが信頼性の低い情報があふれるようになってしまっている。さらに困ったことに、より速くより広く拡散する情報は科学的、論理的であるものではなく、感情をゆさぶるものだ。

ネットでは「理解」させて支持を得るのではなく、感情をコントロールして支持を得ていることがわかっている。たとえば政府の政策でも、その内容ではなく心情あるいはアイデンティティで支持する。そのため野党や市民団体が政府を批判すると、支持者は自分のアイデンティティが攻撃されたと感じて反発し、政権の反論に同意する。トランプや自民党に対する根拠のある批判が、支持者に響かないのはそのためである。

しかも悪いことに、感情の中でもネガティブなものほどより拡散されることがわかっている。たとえば批判や攻撃的な投稿は、拡散しやすい負の感情（怒り、嫌悪など）を含むことが多いので、ネットでより速くより広範囲に広がりやすいことがわかっている。ツイッターで攻撃的あるいは批判的なツイートをよく見かける人は多いと思うが、このためである。

レベル3

世界と日本の現状、正確に知っていますか？
自分の常識を疑ってみよう！

レベル3【第1問】

世界でもっとも多くの学生を海外に送り出している国はどこでしょう？

❶アメリカ

❷韓国

❸中国

❹インド

❸中国

2017年時点での中国から海外への留学生（在籍数）はおよそ93万人。2017年に中国から海外へ留学した学生の数（渡航数）は60万8400人で、どちらの数も世界最多となっている。在籍数2位のインド（33万人）、3位のドイツ（12万人）を大きく引き離した人数です。

２０１７年の段階で海外で学んでいる中国の留学生はおよそ93万人（在籍数）だった。このうち、２０１７年に中国から海外へ留学した学生は60万８４００人（渡航数）である。どちらも世界最多となっている。在籍数では2位はインド（33万人）、３位はドイツ（12万人）となっており、2位以下を大きく引き離していることがわかる。

中国の影響下にある一帯一路参加国の留学生数も合計すると、その圧倒的な規模から世界の高等教育を変容させるとまで言われている。

日本の状況を見ると、中国から大きく引き離されているだけではなく、隣国の韓国と比べても海外留学生の数は少ない。

海外で学んでいる日本の学生は約３万人で中国の31分の1だ。中国と日本の人口比は２０１７年の時点で13・８億対１・３億なのでおよそ10分の1、人口比を勘案しても３倍以上の開きがある。

隣国の韓国が海外に送り出している学生の数は世界4位の10万人で日本の３倍以上だ。韓国の人口は約０・５億人なので人口当たりでは日本の８倍になる。また中国が受け入れている海外からの学生では韓国がもっとも多く、韓国の留学先としても中国がトップだ。なお、２０２０年の時点で韓国は一帯一路には参加していない。

一帯一路構想でも教育支援には力を入れている。教育支援を行う相手国の発展状況に合わせたプログラム（後発開発途上国向けのSilk Road Education Assistance Program

など）、高等教育（Silk Road School、丝路学院）あるいは職業訓練（Luban Workshops、鲁班工坊）といった目的に合わせたプログラムが用意されている。中華人民共和国教育部によれば、その目的は3つある。

1．人的結びつきの強化（Promote Closer People-to-People Ties）
2．一帯一路で必要となる能力の育成（Cultivate Supporting Talent）
3．参加国との協力による教育水準の向上（Achieve Common Development）

一帯一路参加国以外の各国の大学や教育機関との提携も進めており、英語検定試験IELTSで知られるイギリスのUK-China-BRI Country Education Partnership Initiativeを始めとして47の提携を結んでいる。

また、2020年の時点でメディアやジャーナリストへのトレーニングを過去5年間に75カ国で行っており、中国から見た世界観の普及に努めている。

中国は全方位にわたって自国の優位性を確立、維持するための施策を次々と打ち出しているのである。

【第2問】

Q

新型コロナウイルス接触確認アプリ（COCOA）にあてはまる説明は次のいずれでしょう？

---

❶ コロナ抑止で目に見えた成果が出ている

❷ バグなどのため、正常に機能しなかった期間が長い

❸ 監視カメラで体温を測定して発熱者を検知する

❷ バグなどのため、正常に機能しなかった期間が長い

COCOAの2021年6月30日時点のダウンロード数は2865万件にすぎない。また、2021年に入ると次々と不具合が見つかり、事実上ほとんど機能していなかったこともわかった。

スマホを利用した新型コロナの感染拡大防止のための追跡はすでに多くの国に導入されており、国民の行動の把握に使われている。感染抑止に効果的とされている一方で、コロナ収束後もそのままその監視が続く可能性が懸念されている。

追跡にはいくつかの方法がある。もっとも直接的な方法はスマホから位置情報や連絡先を取得し、感染者を監視することである。これには当然、深刻なプライバシー問題がからむので、プライバシー保護を重視する国では導入しにくい面がある。

注目を浴びて各国が導入したのが接触確認アプリ（濃厚接触者追跡アプリ、接触追跡アプリなどと呼ばれることもある）である。過去に接触した人を記録しておき、その中から感染者が出た場合、通知が来る。この方式を用いると、プライバシーに留意して利用者から取得する情報を必要最低限に抑えることが可能となる。有名なのは、シンガポールが導入した方式とグーグルとアップルが共同で始めた方式だ。シンガポール方式では同国保健省が電話番号のみを利用する。グーグルとアップル方式では個人を全く識別できない形での運用が可能となっている。

日本で当初このアプリ開発を主導してきた内閣官房の新型コロナウイルス感染症対策テックチームはシンガポール方式を考えており、開発と運用を一般社団法人コード・フォー・ジャパンが担当することになっていた。

シンガポール方式＝Trace Togetherは、BlueTraceと呼ばれる方式を利用した位置情報を用いない追跡方法である。ランダムなIDをアプリ利用者に振り、同じアプリを利用しているスマホが特定時間以上近くで感知された場合、「濃厚接触」と見なして記録する。接触相手の情報は暗号化されたテンポラリーID（前述のIDとは異なるもの）のみがスマホに記録される。濃厚接触した相手のテンポラリーIDは21日間保存され、その後消去される。

感染が明らかになった場合は、シンガポール保健省が利用者に対して濃厚接触者の情報の提供を求める。利用者が情報提供を了承すると感染者のスマホから濃厚接触者との接触履歴を入手し、濃厚接触者に電話で過去に感染者と濃厚接触したことを伝え、その後のケアならびに感染拡大を防ぐための対策を講じる。

この方式だと濃厚接触した相手の個人情報を取得することがないのでプライバシーが守られる。ただし、電話番号はシンガポール保健省のサーバーに保管されており、それを使って連絡を行うことになる。

BlueTraceでは感染がわかった際、自動的に通知を送ることも可能だが、シンガポールでは濃厚接触者に直接電話などで連絡し、接触状況などを確認するようにしている。これは誤検知を減らし、適切な対応ができるようにするためで、BlueTraceは自動ではなく、人間が確認することを推奨している。

Trace Togetherシステムが利用する情報の内訳は、電話番号、ID、テンポラリー

ＩＤ、接触履歴の４つ。このうち電話番号のみが個人を特定することが可能な情報だ。ＩＤはこのシステムのために生成されるランダムなものとなっている。テンポラリーＩＤはＩＤとは異なり、濃厚接触をした際に相手と交換するためだけに使われ、一定時間おきに更新される（15分を推奨）。その内容は、ＩＤ、開始時間、有効期限（このＩＤ自身の有効期限）などの情報である。このうち、シンガポール保健省のサーバーに保管されるのは電話番号、ＩＤのふたつで、それ以外は利用者のスマホに保存される。

シンガポールでは対応していないが、BlueTrace方式は同じ方式を利用する他の国と情報を共有することができる。国をまたがって感染者が移動した場合でも、濃厚接触した相手に連絡することを可能としている。

ただし、その有効性には疑問がある。オクスフォード大学のチームがこの方式の有効性を検証するレポートを発表した。それによれば全人口のおよそ60％がこのアプリを利用すれば充分な抑制効果が期待できるとしている。それ以下でも一定の効果はあるともしているが、シンガポールでは導入後も感染が広がった。

シンガポールのTrace Togetherは現在ある追跡方式の中ではもっともプライバシーに配慮した方式のひとつと言えるが、完全に匿名なわけではない。どのような方法を取ろうとも最終的に本人に知らせなければいけない以上、個人を特定し、コンタクトする情報が必要になる。電話番号を渡せるくらい政府を信用することができるなら、回りくどい方式を取らずに位置情報まで提供してもよい、という考え方もできる。もちろんTrace Togetherのほうが、よりプライバシーに対する配慮があるのは確かだ。

その後、2020年4月10日にグーグルとアップルが共同で接触確認の仕組みを発表し、一国一主体（公衆衛生当局など）とした。これを受けて日本においては厚生労働省が主体となり、開発と運用を行うことになった。互いのスマホが特定時間以上近くにいたことの検知と、スマホ間の通信、IDなどの管理にグーグルとアップルの共同方式を利用する。コード・フォー・ジャパンは、それまでの開発の経緯などをまとめてサイトに公開した。

そして、新型コロナウイルス接触確認アプリ（COCOA）がリリースされた。しかし、厚生労働省のCOCOAのページを見る限りでは2021年6月30日時点のダウンロード数は2865万件にすぎない。また、2021年に入ると次々と不具合が見つかり、事実上ほとんど機能していなかったこともわかった。

くわえて、このアプリは迅速かつ正確な検査態勢を前提としている。過去に接触した相手が感染したと通知を受けた場合、検査が必要になる。資料によれば3・55日以内に通知すれば27%の感染抑制効果が見込めるそうだが、日本で3・55日以内に検査結果を出せるかは疑問である。2020年5月13日にコロナに感染した力士が死亡した。4月4日に発熱したが、なかなか検査を受けることができず、8日に受けた簡易検査では陰

COCOA

性だった。しかし症状が悪化したため10日にＰＣＲ検査をした結果、陽性とわかった。発症から検査まで6日かかる状況ではアプリの効果はかなり限定的になると考えられる。

過去の接触者に対して一律に14日間の自己隔離をするように指導することも可能だが、誤検知の問題がある。また本人が名乗り出ない限り要自己隔離者を特定できない仕組みのため、守らない人が多数出ることが予想される。

そして普及率を高めることがもっとも重要なのだが、そのための具体的な方法がない。シンガポールでアプリ開発を主導した方のブログには最初に揶揄するような口調でこう書いてある。「新しい技術を導入するからわくわくしているだろう。でも接触確認アプリは万能じゃない」。そして技術に頼った自動運用には限界があることを指摘し、効果を上げるためには人手による確認が必要だと説いている。

さらにシンガポールでは、警察の捜査にアプリの情報が利用される事態となり、接触アプリがコロナを抑制する以外の用途に利用される危険性が現実のものとなった。

レベル3【第3問】

SNSで発生するエコーチェンバー現象の
説明として正しいのはどれでしょう？

❶ SNSシステムが利用者の嗜好（しこう）や属性などに合うようなものを表示することにより、自分の好みに合ったものしか見えなくなること

❷ 発言の多いアカウントを見ていると徐々に感化されてしまうこと

❸ 自分に都合のよい意見や情報ばかりが集まる空間にいると、自分の意見が正しいものとして増幅、強化されていくこと

❸ 自分に都合のよい意見や情報ばかりが集まる空間にいると、自分の意見が正しいものとして増幅、強化されていくこと

エコーチェンバーとは残響室のこと。

ある情報を信じている集団（SNSのグループなど）に加わると、その情報が正しいかどうかにかかわらず、その集団の中で接する意見や情報はすべて自分の意見と合致するものばかりになってしまう。

エコーチェンバー現象とは残響室（エコーチェンバー）という音響設備にちなんで名付けられた。残響室とは文字通り、音がよく反響し、残響時間も長くなるように作られている部屋である。

インターネット上にはたくさんの意見や情報があるが、偏った意見でも類似の意見を持つ集団やそれを裏付ける情報を見つけることができる。その情報を信じている集団（SNSのグループなど）に加わると、接する意見や情報はすべて自分の意見と合致するものばかりになってしまう。否定する証拠や意見がほかにあっても、それが目に入ることはない。そのため、頑（かたく）なに自分の考えを信じ続けるようになる。異なる意見や情報があったとしても、エコーチェンバーの中では苛烈な批判や攻撃にさらされることになる。

エコーチェンバーは少数の集団だけで起こるわけではなく、多くの人々あるいはメディアがその意見を支持すれば広い範囲にわたって多数の人間を巻き込んだものとなる。最近では日本学術会議に関する話題でエコーチェンバーが発生していたことがわかっている。総理の発言を支持するグループと批判するグループの間で分断が起こり、互いの情報をほとんど参照しない状態で情報が拡散していた。

選択肢❶は、フィルターバブルと呼ばれるものである。SNSシステムが利用者の嗜好や属性などに合うようなものを検索結果として表示したり、リコメンドしたりすることにより、利用者には同じ傾向のものしか見えなくなる。こうした現象はネットショップやニュースサイトなどいたるところで起きる。

ネットショップでは過去の購買履歴などの個人情報から商品をリコメンドし、ニュースサイトでは日頃の閲覧傾向などをもとに表示するニュースを取捨選択する。そのため常に同じような商品、同じようなニュース、同じような意見に接し、エコーチェンバーのようにそれ以外の選択肢が見えなくなりやすい。

コラム

ネットの情報との付き合い方

人間は統計的な事実よりも、身近で目にした出来事に影響を受けやすい。これを「体感事実」と呼ぶ。体感事実というのは、感覚的な事実だ。統計上、殺人事件が減っていても、日々接しているニュースでの殺人事件の報道が増えていれば増えていると感じる。ネットによって体感事実の影響は大きく広がった。

ネットに流れる情報は莫大であり、そこには世界中で発生している事件や事故、悲劇が大量に含まれており、ネガティブな情報ほど広がりやすい。つまり事件や事故、悲劇のニュースは統計的事実よりもはるかに多く目に入ることになる。同様に検証された歴史的事実あるいは科学的事実についても、広大なネットの中には必ず反証データが存在する。世界の果てにある大学の教授が妄想の挙げ句に生み出したものであっても、それはひとつの文献として参照可能だ。あるいはフェイクニュースだったとしても、ワクチン接種による死亡に関する情報も必ず見つかる。

複数の情報源に当たって確認することを、情報リテラシーとして勧める人や文献は少なくない。だが、前述のようにどんな陰謀論でもそれを支える情報源が見つかるし、信頼できるメディアでも過去に誤報を出したことはある。陰謀論は信頼できるメディアで否定されているものの、反証の文献も存在しているので、考慮に値するものだという理屈も可能になってしまう。その説に共感を覚える人なら支持するだろう。

ネットは負の感情と陰謀論に満ちていると思っていたほうがよい。それを踏まえたうえで信じられるメディア、情報を取捨選択していかなければならない。特定のメディアなどの情報源だけでよかった時代は終わった。間違ってもSNSのインフルエンサーの主張をうのみにしないでほしい。

レベル3【第4問】

最近増加している二重恐喝型ランサムウェアとはどんなものでしょう？

---

❶ 暗号化したデータの復号と、同時に盗んだデータの公開のふたつで脅迫する

❷ 一度支払いに応じると、すぐに2度目の要求を送ってくる

❸ 同時に2カ所（関係会社、支社など）のデータを暗号化して脅迫してくる

❶ 暗号化したデータの復号と、同時に盗んだデータの公開のふたつで脅迫する

データを暗号化するだけではなく盗み出したうえで、身代金を支払わなければ復号しないし、盗み出したデータをネット上に公開すると脅迫する手法。

ランサムウェアと呼ばれるマルウェアは、企業や病院、個人のコンピュータに感染し、データを暗号化し、復号化のために身代金を要求する犯罪として拡大してきた。サイバーセキュリティ企業ソフォス社のレポートの推計によると、2016年から2018年にかけて活発だったSamSamと呼ばれるランサムウェアは1件の脅迫あたり約100万円から500万円を得ており、合計の収入はおよそ6億7000万円だった。コロナのパンデミック以降は病院も格好のターゲットになった。身代金はビットコインでの支払いを要求されることが多い。

最近は、以前からの「金を払わなければ復号キーを渡さない」という脅迫に加えて、「金を払わなければ盗み出したデータをネット上に公開する」という脅迫が加わった。復号とネット公開のふたつの脅迫を行うことから「二重恐喝型ランサムウェア」と呼ばれる。中には身代金を払って復号キーをもらった後に、「金を払わなければ盗み出したデータをネット上に公開する」という追加の脅迫が来ることもある。さらに悪質なグループは盗んだデータをオークションにかけて売り払う。

オークションにかけられた場合の落札金額はデータの内容によって異なるが、著名人を顧客に持つアメリカの法律事務所が被害に遭った事例では、約21億円の身代金が要求され、その後、ランサムウェアのサイトでオークションにかけられて、最高入札額は身代金の倍以上の金額になった。さらにデータを分割しての販売も行った。

ほとんどのランサムウェア犯罪グループはダークウェブにサイトを持っており、そこに被害企業（彼らは「クライアント」と呼ぶ）の名称や証拠（盗み出したデータの一部やネットワークのスクショなど）を掲載する。場合によっては犯行声明、「クライアント」企業の事業内容、売上なども掲載することがある。オークションも同じサイト上で行われることが多い。

BitDefender社のレポートによれば、ランサムウェアは2019年の1年間でおよそ7倍に増加しているという。今後、さらに増加することが予想される。

レベル3【第5問】

科学的で合理的な選挙方法についての
正しい説明を選んでください。

---

❶ IT技術を取り入れた選挙方法は科学的かつ合理的である

❷ 多数決による選挙が民意を測定する方法としては、もっとも科学的かつ合理的である

❸ 科学的で合理的な選挙方法を採用している先進国はない

❸ 科学的で合理的な選挙方法を採用している先進国はない

社会的選択理論によると、多数決による選挙は、民意を反映する方法としては不適切であることがわかっている。しかしいまのところ、ほとんどの国は選挙制度の改革に本格的には取り組んでいない。

社会的選択理論は、選挙のように集合体の意思決定を行う際のメカニズムを研究する学問である。この理論によれば、現在ほとんどの国で行われている多数決による選挙は民意を反映する方法としては不適切である。その結果、民意を反映しない選挙結果をもたらすことになる。

たとえば、ひとり（大統領、知事、議員など）を選ぶ際、5人の候補者がいるとする。ふたりずつ抜き出して比較した場合に一番勝率が高い者が、全体で多数決を取った場合に1番にならないことはよく発生する。3人以上の候補者がいる時に一対一でもっとも勝率の低い者が多数決で一番になることもある。これは全体での多数決という方法に起因する問題である。こうした問題を避けるための選

挙方法はすでに考案されており、採用している国もあるが、先進国（たとえばＯＥＣＤ）の中で採用している国はない。

現在の方式による選挙の欠陥は２００年以上前に証明されていたが、誰も本気で選挙制度の改革に取り組もうとはしてこなかったため、ほとんどすべての民主主義国は民意を反映しない可能性がある選挙方法を使い続けている。そのため民主主義という理念は共有されていても、それを実現するための具体的な選挙方法についてはなんの根拠もないものが慣習として繰り返されてきた。

コラム

世界でもっとも多いのは民主主義の理念を掲げる独裁国家

　クイズ第5問の答えに驚いた方もいたと思う。世界の多くの国が民主主義を標榜(ひょうぼう)していながら科学的、合理的な選挙方法を取っていないというのは残念ながら事実である。代表者に権力を委託する間接民主制では選挙はもっとも重要なはずだが、投票方式や在任期間などについて継続的に科学的に分析、整理し、実際の制度にフィードバックしている国は私の知る限りない。

　選挙方法が適切でないということは、過去および現在の国会議員はすべて根拠のない不適当な方法で選ばれたことになってしまう。根幹をなす問題であるがために、容易に手を付けられないのかもしれない。しかし国民の意思を決定する選挙が適切に行われていないことはさまざまな弊害を生んでいる。

　もっとも大きな弊害のひとつは、「選挙をしていると民主主義っぽく見える」ことだ。そのためたとえ実質的に独裁であっても形式上選挙を行っていることで民主主義と言い張れる。そういう国は増えている。クーデターを行わずとも、選挙で勝って独裁主義向きの制度や組織を導入するだけで選挙独裁主義に移行できるのだ。

もうひとつは理念（民主主義の理念）と実装（現実の制度や組織）の間に溝ができていることである。その最たるもののひとつが選挙制度であり、それ以外の制度設計などでも同様の問題がある。おおげさに言うと、あらゆる場面で適切な意思決定を行っていないために問題が発生している。

イスラエルの歴史学者ユヴァル・ノア・ハラリが言ったように、「我々が住んでいるのは民主主義国家なのか、権威主義国家なのか？　もし我々が1930年代のドイツやイタリアにいたならなんの疑問も持たずに答えられた。現代の権威主義は民主主義のように見せかける」のだ。わかりやすい権威主義を世界に披露しているのは中国など少数に留まる。

その結果、世界でもっとも多いのは民主主義の理念を掲げる独裁国家になってしまった。最近公開された、民主主義の指標として知られるイギリスの「民主主義指数」とデンマークのV-Demの最新版ではいずれも民主主義の後退が確認された。民主主義指数では2006年に最初の指標を公開して以来最悪の数値となった。特に市民の自由の制限や反対意見への抑圧が見られたと報告している。

民主主義指数では、統治形態を完全な民主主義、瑕疵のある民主主義、ハイブリッド体制、権威主義体制の4種類に分類しており、今回の結果では民主主義（完全な民主主義と瑕疵のある民主主義）は国の数では44・9％、人口では49・4％となった。国の数でも人口でも過半数を割っている。

V-Demでは統治形態を自由民主主義、選挙民主主義、選挙独裁主義、完全な独裁主義の四つに分けている。今回の調査で民主主義（自由民主主義と選挙民主主義）の人口は32％に減少した。世界の人口の3分の2が非民主主義の国で暮らしていることになる。

いつの間にか、世界の多数は民主主義国家ではなくなっていたのだ。

レベル 4

インターネットや国際情勢の「一歩先」に
踏み込んだ知識をここでチェック！

レベル4【第1問】

Q

フェイスブックの副社長ニック・クレッグは
中国を目の敵にしています。
彼が実際にした発言や行動を選んでください。

❶「フェイスブックを排除すれば中国がのさばる」と発言した

❷ アメリカの中国大使館をアポなしで訪問して外交問題になりかけた

❸「習近平のIQはザッカーバーグの半分以下」と記者会見で答えた

❶「フェイスブックを排除すれば中国がのさばる」と発言した

EUを始めとする規制当局から、プライバシー保護やヘイトスピーチへの対処を求められたり、フェイクニュースなど世論操作への対処要請を受けたり、独占禁止法に抵触する可能性を指摘されたりと、フェイスブックに逆風が吹く中でのフェイスブック擁護発言だった。

イギリスの元副首相で、現在フェイスブックの副社長を務めるニック・クレッグは就任以来、中国を攻撃している。実はフェイスブックと中国はさまざまな分野で競合しているのだ。一民間企業と国家との競合というと奇異に聞こえるかもしれないが、中国が標榜している「超限戦」という概念においてはあらゆる組み合わせで戦いが起こりうるとしている。テロリスト対国家、企業対国家という戦争も起こるのである。また中国においては大手企業は中国政府の意向に沿った活動を展開しており、企業と国家が一体とも言える。

SNSの世界で、利用者数の世界トップ10はフェイスブックグループと中国企業の寡占状態となっている。アフリカでは両者ともにアプリ開発への支援や投資を行い、インターネット接続サービスを進め、仮想通貨の発行を準備し、アメリカ議会でロビー活動を繰り広げている。

アフリカでの決済や仮想通貨に関してはすでに中国および中国企業が先行して事業を展開している。アリババが南アフリカでAlipayシステムのロードテストを行ったほか、エチオピア政府とeWTP（Electronic World Trade Platform＝世界電子貿易プラットフォーム）の構築で合意した。着々と中国系企業が手を広げている。

中国の中央銀行がデジタル通貨（CBDC）を実現するきっかけになったのは、フェイスブックの仮想通貨Libra構想が発表されたせいとも言われている。

中国の一連の動きはフェイスブックが展開しようとしているサービスの大きな障害となる。フェイスブックはLibraの裏付けとなる通貨から中国の通貨である元を外す可能性が高い（ドルやユーロなどは入る）と言われている。

最近のフェイスブックは逆風に見舞われている。EUを始めとする規制当局から不十分なプライバシー保護やヘイトスピーチへの対処の遅れ、後手に回っているフェイクニュースなど世論操作への対処、独占禁止法に抵触する可能性などで責められている。ニック・クレッグは、そうした批判に正面から反論するのではなく、「フェイスブックを排除すれば中国がのさばる」と発言した。

中国とフェイスブックの戦いはこれからより激化してゆくと考えられる。

コラム

「我々を排除すれば中国がのさばる」はほんとうなのか？

フェイスブックの副社長は「フェイスブックを排除すれば中国がのさばる」と何度か口にしている。似たようなことはグーグルを始めとするネット企業の巨人やその擁護者も発言している。しかし、はたしてほんとうなのだろうか？

大手ネット企業は、自分たちに独占禁止法を適用して企業力を弱めたら中国企業が市場のシェアを伸ばし、結果として国家の安全保障上の脅威につながると主張している。しかし、必ずしもそうではないとする記事が、フォーリン・アフェアーズ誌に掲載された。

その記事では、かつての日本とアメリカ企業の競争を事例として紹介している。1980年代に日本政府に支援を受けた日本企業が力をつけてきた時、アメリカも国家として自国産業を支援することもできたが、そうはしなかった。逆にＩＢＭなど当時の有力企業にも規制の手を緩めなかった。結果としてマイクロソフトやアップルなどの新しい企業が生まれ、一大産業にまで成長した。その一方で日本は完全に後れを取り、世界的企業は生まれなかった。過剰な保護は競争力を弱め、新しい産業の成長を妨げることを歴史が証明している。中国に対して競争力を保ちたいなら、むしろ既存の巨大企業の独占を排除すべきなのだ。

安全保障上の脅威については、すでにそういう状況ではない。グーグルは2017年に北京にＡＩ研究センターを設置する計画を発表し、中国のネット企業テンセントとの提携を予定し、マイクロソフトは中国でデータセンターを拡大、中国政府向けの「Windows 10 China Government Edition」を発表している。アマゾンのクラウドサービスは、中国市場でアリババに次ぐシェアを誇っている。アップルはｉＰｈｏｎｅを中国で製造している。中国には、政府が必要に応じて企業から情報提供を要請できる法律がある。すでに技術や製品の情報は中国側に流れている可能性が高いのだ。こうした経済の相互依存を利用した手法によって、中国とアメリカのネット企業はすでに相互に取り込まれている。

記事では巨大ネット企業への政府の依存度を減らすことが重要だと指摘している。市場の独占状況や中国への進出状況から考えると、早晩これらの企業の技術革新や競争力は衰え、情報は漏洩することが目に見えている。アマゾンやマイクロソフトなどの企業は、米国の防衛・情報機関にクラウドサービスを提供する契約を結んでおり、ＡＩの軍事利用を含め、防衛産業基盤の一部になっているのだ。

逆に、巨大ネット企業を遠ざけることこそ中国をのさばらせないことになる。

【第2問】

Q

ダークウェブについての正しい説明を
選んでください。

---

❶ ネット犯罪組織が運営している匿名サービス

❷ 匿名化通信ツールを使わないとアクセスできないネット空間

❸ オカルトや陰謀論専用のSNS

❷ 匿名化通信ツールを使わないとアクセスできないネット空間

Torなどの匿名化通信ツールを使ってしかアクセスできないインターネット空間のことをダークウェブと呼ぶ。言論統制や検閲が行われている地域では、それらから逃れるために匿名化して情報を発信し、共有するという使い方ができる。一方で悪用することができるため犯罪にも利用されている。

インターネットにはウェブやメール、SNSなどのさまざまなサービスがあり、中にはオンラインゲームのように、そのゲーム専用のアプリでないと利用できないものもある。また、パスワードで保護されているウェブのようにアクセスが制限されているものはディープウェブと呼ばれる。ディープウェブは、一般に利用できるウェブよりもはるかに多く、数千倍もあると言われている。

ディープウェブの中でもTorなどの匿名化通信ツールを使ってしかアクセスできないインターネット空間はダークウェブと呼ばれている。言論統制や検閲が行われている地域では、それらから逃れるために匿名化して情報を発信し、共有するという使い方ができる。

現在では匿名性を悪用して犯罪に用いられることも多く、そちらのイメージが強くなっている。たとえば非合法に取得した情報などの売買、犯罪の依頼、児童ポルノの販売などが行われており、最近流行しているランサムウェアのサイトもダークウェブにたくさんあり、盗み出したデータをさらしたり、オークションにかけたりしている。

【第3問】

Q

ファクトチェックについて正しい
説明を選んでください。

---

❶ メディアの情報が事実（ファクト）であるかどうかを発信元のメディア自身が確認すること

❷ NPOなどの第三者機関やニュースメディアがニュースなどの情報が事実であるか確認すること

❸ 政府機関から認可された団体のみが行うもの

❷ ファクトチェックとはNPOなどの第三者機関やニュースメディアがニュースなどの情報が事実であるか確認すること

ファクトチェックとは、ニュースなどの情報の検証を行い、真偽を判定し、公開すること。ニュースメディアやNPOなどさまざまな組織が行っているが、フェイクニュースを流布している組織がファクトチェックと称して自身の正当性を示すこともあり、ファクトチェックそのものの正しさを見極める必要がある。

ファクトチェックとはニュースなどの情報の検証を行い、真偽を判定し、公開することである。ファクトチェックの対象はニュース以外にも社会的影響力のある人物や組織の発言など多岐にわたる。新聞社などのニュース発行主体自身やNPOなどさまざまな組織がファクトチェックを行っている。

フェイクニュースの増加とともにその重要性が認識され、チェックが増加しているが、フェイクニュースを流布している組織がファクトチェックと称して自身の正当性を示すことも起きており、ファクトチェックそのものの正しさを見極める必要がある。

フェイクニュースの対策としてファクトチェックがあげられることが多い。し

かし、その効果は限定的であり、決め手にならないどころか対策としてはほとんど役に立たない。特にフェイクニュースを含んだ広範なネット世論操作作戦に対しては効果が薄い。

たとえば、ウソは事実よりも速く広範囲におよぶことが研究結果からわかっている。いくら事実を公開してもウソほど共有されない。また、伝播速度がウソよりも大幅に遅いため、選挙のように期間が定まっているものの場合は、正しい事実が広まる前に選挙が終わってしまうことも起こりうる。コストや時間もフェイクニュース作成よりファクトチェックのほうがかかり、読み手にも一定以上のリテラシーや機能的識字能力がないと理解してもらえないという問題もある。

また、歴史認識など複雑かつ専門家の間でも意見が分かれるような問題の場合、「事実」認定の主体の問題＝「真実の裁定者」の問題がある。民主主義国家においては国民が最終的な「真実の裁定者」とされるが、そのための具体的な方法は確立されていない。

Q

近年SNSを始めとするネットサービス企業が公開するようになった透明性レポートについて正しい説明を選んでください。

❶ 上場企業に対して開示義務のある重要な資産に関するレポート

❷ 企業が汚職などの不正行為がないことを証明するために定期的に公開している内部監査レポート

❸ 個人情報の開示やコンテンツの扱いなどについてまとめた定期的なレポート

❸ 個人情報の開示やコンテンツの扱いなどについてまとめた定期的なレポート

主としてネット企業が公開しているもの。世界各国の法執行機関から来た投稿者の個人情報開示請求の件数や回答件数などが掲載されている。

透明性レポートとは主としてネット企業が公開しているレポートで、利用者の個人情報の開示やコンテンツの扱いについて定期的にまとめて公開しているものである。世界各国の法執行機関から来た投稿者の個人情報開示請求の件数や回答件数などが掲載されている。たとえばＬＩＮＥは２０２０年１月から６月の間に１８２２件の個人情報開示の要請を受け、１３０６件（72％）に応えている。

著作権に関するクレームやその対処なども含まれることがある。個々の開示請求の詳細は明かされないが、国別、組織別、内容別の請求と対応の統計情報が公開される。その内容は企業によって異なる。

ＬＩＮＥでは「捜査機関からのユーザー情報開示・削除要請」、「メッセージ及び通話における暗号化の適用状況」のふたつがある。なお、世界17カ国から要請が来ていたが、日本が８割を占めていた。日本でもっとも多かったのは児童被害（29％）に関した要請だった。

グーグルの透明性レポートには「セキュリティとプライバシー」「コンテンツの削除」「追加レポート」の３つがあり、それぞれ次の内容を含んでいる。

●セキュリティとプライバシー
ユーザー情報のリクエスト、メールやウェブの暗号化など。
●コンテンツの削除
著作権問題、政府要請、欧州プライバシー法などによる削除要請の内容。
●追加レポート
政治広告やアクセス状況。

コラム

ファクトチェックの裏事情

ファクトチェックというと公正中立なイメージがあるが、「ファクトチェック」を標榜している組織が必ずそうというわけではない。日本では大阪維新の会が始めたファクトチェックが開始後、その内容の偏りから即座に炎上した。そもそも政党がファクトチェックを行うことが、非党派性・公正性の原則からはずれるという指摘もされた。

そもそもファクトチェックは、どのような団体が行っているのだろうか？　大手メディアが一部門としてファクトチェックを抱えていることも多い。2018年の段階では47のファクトチェック組織のうち41がメディア企業に関係していたが、2019年は60のうち39がメディア企業に関係しているに留まった。ファクトチェック機関の数は増えているものの、メディアとつながりを持つ組織は減少し、NPOなど独立した団体がファクトチェックを担っている割合が増加している。

どのような組織でも活動を行うには資金が必要であるが、メディア企業とつながりがない団体は自前で資金を調達しなければならない。グーグルやフェイスブックなどの企業が資金を提供していることもある。これらの企業が提供しているサービスは陰謀論やデマの温床となっているので、それを改善するためと社会貢献の一環としての支援だ。たとえばファクトチェックの老舗Snopesの収入は、広告収入、読者からの収入、クラウドファンディングからの収入、寄付などが中心になっているが、フェイスブックのファクトチェック・パートナーとなっていた時はフェイスブックからの報酬が開示されている収入のおよそ3分の1を占めていた。フェイスブックの広報担当者によれば、世界で70以上のファクトチェック機関と提携しているのは同社だけだそうで、ファクトチェック業界における影響力の大きさがわかる。

グーグルは、2018年にジャーナリズムへの支援で3年間でおよそ300億円を投じ、ハーバード大学と共同でDisinfo Labを設立し、Poynter Instituteや、スタンフォード大学、ローカルメディア協会と提携し、米国の若者のデジタル情報リテラシー教育を行う予定だ。

しかし、ファクトチェックを支援しているからといって、グーグルやフェイスブックがファクトチェックに本気で取り組んでいるとは言い切れない。企業の本気度はそこにかける予算からわかることがあるが、2019年にフェイスブックからファクトチェック団体への資金提供は年間数百万ドル（数億円）と推計されていた。

一方、フェイスブックの売上は四半期で169億ドル（1兆6900億円）なので予算から見るとあまり重要視されていないようだ。

フェイスブックがファクトチェックを重要視していないことは、内部から漏洩した資料でも暴露されている。ファクトチェック・パートナーが右派や広告主の投稿の問題を指摘しても無視するなど、フェイスブック社内でのファクトチェックの扱いが不透明で不適切だったのだ。

さらにエセ科学に興味を示している7800万人以上を広告ターゲットとしてカテゴリー化して、携帯電話の電磁波から頭を守る帽子の広告を表示させていた。これ以外にも、ケムトレイル陰謀論、ワクチン懐疑、ユダヤ人差別者、ユダヤ人陰謀論などもカテゴリーとして存在していた。つまりフェイスブックはエセ科学に引っかかりやすい人や陰謀論や差別者などをターゲットにして広告を出せるようにしていたのだ。

フェイスブックのファクトチェックを含む運営体制についての内部告発が相次ぎ現在大きなスキャンダルとなっている。

グーグルはデマや陰謀論サイトへ誘導する広告をファクトチェックサイトに配信していた。

コロナ禍でデマやフェイクの市場は拡大したが、そのための広告やシステムを提供してきたのはグーグルを始めとするSNS企業などだった。

こうしたことを考えると、グーグルやフェイスブックはファクトチェックには本気ではなく、むしろ逆行することを主たるビジネスで展開しているようだ。その2社がファクトチェックの二大支援者になっているということが、ファクトチェック団体の運営の難しさを象徴している。

各国の民主主義の状態を示す
指標があります。この指標についての
正しい説明を選んでください。

---

❶ 複数の機関が実施しており、代表的なものはふたつある

❷ 国連人権委員会が毎年発表している国連民主主義指数である

❸ 国境なき記者団が「報道の自由度」とあわせて発表している

❶ 複数の機関が実施しており、代表的なものはふたつある

民主主義指数とV-Dem。

民主主義指数は選挙の手続きと多様性、政府機能、政治参加、政治文化、人権を、V-Demは選挙、自由、参加、議論、平等を評価軸にしている。

レベル1の第5問、レベル3のコラムで解説したように、民主主義が国の数でも人口でも過半数を割り込んでいた。世界における民主主義の存在感、影響力は低下していると言わざるを得ない。

コロナ・パンデミックのために各種の自由が制限され、ロックダウンが行われたことにもっとも影響された。地域別に見るとヨーロッパのフランスとポルトガルが「完全な民主主義」から脱落し、アジアの台湾、日本、韓国が「瑕疵のある民主主義」から「完全な民主主義」へとランクアップした。特に台湾はコロナの対応も含め、高く評価されている。また、アメリカの民主主義が難しい局面に立たされていることも指摘されているほか、アフリカのマリとトーゴで民主主義が後

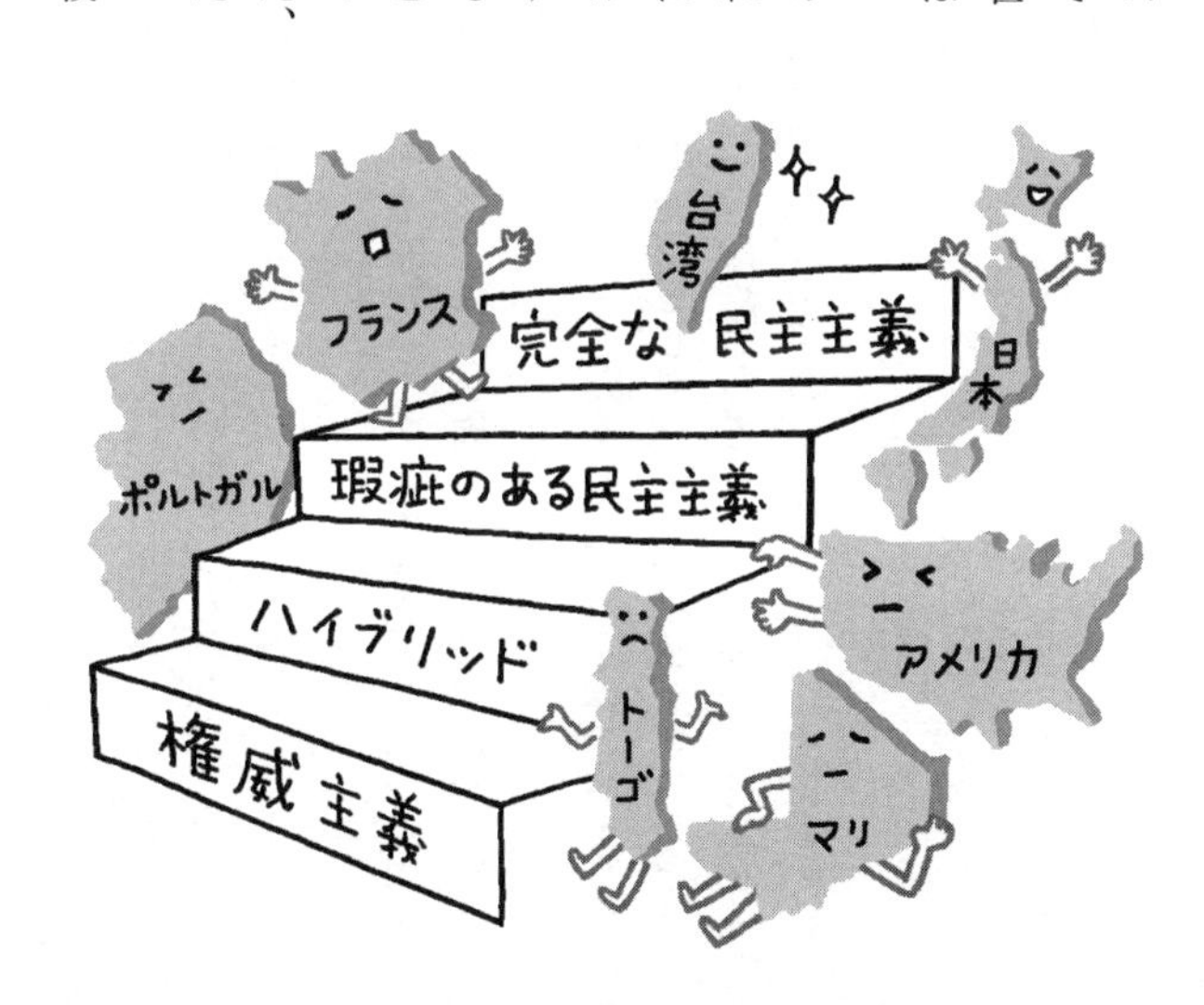

退している。

各国別のランキングを見ると最上位＝「完全な民主主義」は西ヨーロッパ諸国が多いが、今回フランスとポルトガルが脱落し、アジアから3カ国が加わったことでバランスが変わった。ヨーロッパ以外で10位以内に入っている国はニュージーランドとオーストラリアだけで、ここはあまり変化していない。

世界的に民主主義が後退している一方で、きわめて低い水準（権威主義）だった国々の状況は改善されていることも少なくない（ただし、完全な民主主義になったわけではない）。

瑕疵のある民主主義までを含め、なんらかの形で民主主義である国は全体の44・9％となっているが、どこまでをほんとうの民主主義国家として考えるかは難しい。たとえば人権の保護などの民主主義的価値観を守るという観点から考えると、瑕疵のある民主主義国家は、全体主義や独裁主義国家に経済協力や軍事協力を行うため、民主主義の枠内に入れるのは難しくなる。

レベル5

世界に影響を及ぼす超大国・中国について、最新情報をアップデート！

レベル5【第1問】

GPSは衛星を利用して位置を特定する
GNSS（全地球衛星測位システム）の
ひとつですが、世界でもっとも多くの測位
衛星を持っている国はどこでしょう？

---

❶ アメリカ

❷ 中国

❸ ロシア

❹ EU

❷ 中国

中国は急速に測位衛星の数を増やしており、2018年の時点でアメリカ（衛星31基）を追い抜いて35基を保有するにいたった。中国が推進するデジタル化＝デジタル・シルクロードの一環である。

我々の日常生活にＧＮＳＳ（全地球衛星測位システム）は深く入り込んでおり、スマホ、カーナビ、ドローン、船舶、航空機、ミサイルなどさまざまな製品に組み込まれている。私たちが日常的に使っているＧＰＳはこのＧＮＳＳのひとつで、アメリカの測位衛星を使ったシステムである。ほかにロシアのGLONASSやＥＵのGalileo、中国の北斗衛星導航系統（BeiDou、BeiDou2、北斗衛星測位システム）が有名だ。

中国は急速に測位衛星の数を増やしており、２０１８年の時点でアメリカ（衛星31基）を追い抜いて35基を保有するにいたった。北斗衛星導航系統は今後中国製のスマホや自動車などの製品に組み込まれてゆくことが予想される。

アメリカのＧＰＳは受信側との双方向の通信は不可能だが、北斗衛星導航系統はデータ量が少ないものの双方向通信が可能となっている。たとえばカーナビと測位衛星との間で双方向通信を行える。しかし、それがどのような用途に使われるのかは不明である。

測位衛星を急速に増やしたのは中国が推進するデジタル化＝デジタル・シルクロードの一環であり、中国は網羅的にデジタルおよびネットワーク分野で世界に影響力をおよぼそうとしている。その範囲は測位衛星だけでなく、次世代モバイル通信５Ｇ、ＡＩ、量子コンピュータなどの技術から海底ケーブルの敷設や通信に関する国際標準への影響力行使など多岐にわたる。デジタル・シルクロードは中国の推進する経済圏構想＝一帯一路の一部でもあり、国家戦略の一端を担っている。

レベル5【第2問】

中国のグレート・ファイアウォール
(金盾工程)とは何でしょう？

---

❶ 万里の長城の別名

❷ 中国のサイバー自動報復システム

❸ 12分野のE-Government化を推進する中国のGolden Project (金字工程) のひとつ

❸ 12分野のE-Government化を推進する中国のGolden Project（金字工程）のひとつ

インターネットを監視、検閲、ブロックする仕組みのこと。中国本土でフェイスブック、LINEなどのSNSが使えないのはこのため。

グレート・ファイアウォール（金盾工程）は、中国政府の電子化（E-Government化）を推進するGolden Project（金字工程）のひとつで、インターネットを監視、検閲、ブロックする仕組みを指す。特定のウェブサイトの閲覧やサービスへのアクセスを止めたり、特定のキーワードを含む通信をブロックしたりしている。

そのため中国本土ではフェイスブック、ＬＩＮＥなどのＳＮＳが使えなくなっている。ただし、ＶＰＮ（仮想の専用線）などを使って回避することはできる。また回避してアクセスできるブラウザも存在するものの、その利用に電話番号を含めた個人情報の登録が必要で、当局と情報が共有される可能性が指摘されている。

同じくインターネットの規制強化を進めているロシアは中国の協力を得ていると指摘されている。中国は自国で使用している検閲、監視、管理システムを海外に販売しており、今後グレート・ファイアウォールのようなシステムが他の国にも導入される可能性がある。

コラム

中国の外交官は一日平均778回ツイートする

オクスフォード大学インターネット研究所によれば、中国は外交官によるパブリック・ディプロマシーを強化しているという。パブリック・ディプロマシーとは広報文化外交のことで、広報や文化交流を通じて自国の主張を外国に伝える手法である。

2020年6月から2021年2月の間の中国の外交官と中国メディア10社が投稿したすべてのツイートとフェイスブックの投稿を分析した結果、外交官と国営メディアの活動が活発になっており、これらの活動への組織的な関与があることがわかった。

中国の外交官と中国メディアの活動は、特にツイッターで顕著で、外交官は、9カ月間で合計20万1382回、一日平均778回ツイートしている。約700万の「いいね!」、100万の「リプライ」、130万の「リツイート」が見つかった。フェイスブックには3万4041回の投稿を行っていた。

中国メディアは、ツイッターとフェイスブックで176のアカウントを運用しており、英語を始めとするさまざまな言語で情報発信している。投稿した回数は合計で70万回、「いいね！」を押された回数は3億5500万回、コメントや拡散された回数は2700万回を超えた。

これらの反応のほとんどは、投稿を拡散するスーパースプレッダーによって生み出されている。スーパースプレッダーは、投稿後わずか数秒で反応していた。中国関連アカウントのリツイートの約半分は、上位1％のスーパースプレッダーによって行われており、0・1％のスーパースプレッダーで25％を占めていた。

そして、スーパースプレッダーのアカウントの多くは、ツイッター社によってプラットフォーム違反を理由に停止されていた。2020年6月から2021年2月の間に行われた中国の外交官のリツイートのうち、10件に1件以上が、後にツイッター社によって停止されたアカウントが行ったものだった。これらのアカウントの多くは、停止されるまで数カ月間活動していた。

レポートの巻末には世界でパブリック・ディプロマシーに関与しているアカウントのリストがついている。日本に関連していると思われるツイッターアカウントも存在する。これらは積極的なパブリック・ディプロマシー活動は行っていないようである（一日778回もツイートしていない）。ただしこれらのアカウントの多くは世界的に中国の外交官アカウントが急増した期間に新しく作られたものだった。

中国のネット世論操作は洗練されてはいないが、使えるものをすべて使って圧倒的な量で展開してくる。パブリック・ディプロマシーもそのひとつだ。時間とともに質も向上してくる可能性は高い。それまでに充分な対策を講じなければならない。

レベル5【第3問】

Q

中国のデジタル・シルクロード構想に含まれていないものをひとつ選んでください。

---

❶ 量子核兵器

❷ 量子コンパス

❸ 5G（次世代モバイル通信）

❹ サイバー主権

❶ 量子核兵器

デジタル・シルクロード構想は、ネットワークに関連する内容。中国は経済圏構想＝一帯一路の一部としてデジタル・シルクロード構想を推進しており、包括的なネットワークを世界に張り巡らそうとしている。（アメリカのシンクタンク「戦略国際問題研究所パシフィック・フォーラム」資料による）

中国は測位衛星を世界でもっとも多く保有している。しかし、これはデジタル・シルクロードで中国が行っていることのごく一部である。中国は経済圏構想＝一帯一路の一部としてデジタル・シルクロード構想を推進しており、包括的なネットワークを世界に張り巡らそうとしている。

デジタル・シルクロードがカバーしている範囲は、光ファイバーや海底ケーブルの敷設、AI監視システム、量子コンピュータ、量子コンパス、量子レーダー、測位衛星といったものからサイバー主権の主張などにおよんでいる。量子コンパスは言わば測位装置で、測位衛星なしで位置を測定できる。量子レーダーは高精度レーダーである。量子コンピュータは最先端のコンピュータであり、暗号の解読にも用いることができる。そのため、保有する光ファイバーや海底ケーブルの通信を傍受し、暗号化された通信を復号することが可能になる。

これらのいくつかの分野では中国は世界のトップを走っている。第1問で述べた測位衛星の数、5G（次世代モバイル通信）、AI監視システムなどがそうだ。

デジタル・シルクロード構想は経済圏構想＝一帯一路の一部であることからわかるように、他国に技術を積極的に提供している。提供を受けた国では為政者が自国の権威主義体制を守るために使うことも多い。たとえばAI監視システムにおいては中国企業の世界シェアはずば抜けて高い。

アフリカのウガンダとジンバブエにHuaweiが製品を納入した際には、政治的に敵対する相手の盗聴、盗撮、暗号の復号、位置の捕捉といったスパイ行為を行えるようにサポートしていた。この件は『ウォール・ストリート・ジャーナル』で暴露された。

オーストラリア戦略政策研究所のプロジェクト「Mapping China's Tech Giants」によればHuaweiは２０１７年には40カ国、２０１８年には90カ国（２３０カ所）に都市監視システムを販売したという。そして販売の際には中国輸出入銀行がローンを提供している。

いまやそのネットワークを通じて中国に情報が集まっている。欧米から「中国はデジタル権威主義を輸出している」と批判されるゆえんである。

中国の目的は、「自由な資本主義と不自由な統治」による体制の擁護と拡散にあると考えられている。レベル４の第５問で見たように、世界の多数の国は現在、自由な資本主義と不自由な統治が共存している。中国は現在の国際秩序を破壊したり、自国の覇権を過度に広げようとはしていない。自由で開かれた資本主義は中国ならびに世界の多数派である権威主義国家にとって利便性が高いのだ。わざわざ壊す必要はない。

米中貿易戦争においてアメリカがHuaweiやZTEを排除しようとしているのは中国が自由で開かれた取引をしていないからではない。安全保障上の問題が主であり、中国はむしろ開かれた自由な貿易を求めている。

デジタル・シルクロードで実現される高度監視システムと自由で開かれた資本主義が共存する社会は権威主義という体制にぴったりだ。中国はそのための仕組みを各国に輸出している。

この点が現在の民主主義的価値を重んじる国々とは相容れない。しかし、すでにレベル4の第5問でも見たように民主主義は世界的に後退しており、次の新しい世界への移行が進んでいる。中国は新しい世界への移行でも先端を走っていると言える。

レベル5【第4問】

中国と一帯一路参加国の人口の合計は
世界の人口の何%でしょう？

---

❶ 30%未満

❷ 30%以上50%未満

❸ 50%以上70%未満

❹ 70%以上

❸ 50%以上70%未満

中国と一帯一路参加国の人口を合計すると世界の人口の62%を占める（2018年時点）。参加国には人口増加が見込まれる国が多く、今後もさらに世界における存在感が大きくなると考えられている。

中国と一帯一路参加国の人口を合計すると世界の人口の62％となり、ＧＤＰでは30％、エネルギー資源では75％を占める（２０１８年時点）。投資規模では２０２７年までに中国は一帯一路に１２０兆円から１３０兆円を投資すると考えられている。

さらに一帯一路参加国のほとんどはグローバル・サウス（アジア、アフリカ、ラテンアメリカ）諸国であり、今後人口が増加し経済が発展すると予想されている。つまり、人口とＧＤＰにおいて、さらに世界における存在感が大きくなると考えられる。

国連の人口予測によれば特に人口増加が見込まれるのはアジアとアフリカであり、なかでもアフリカの伸び率が高い。人口増加を経済の発展に結びつけるためには教育が不可欠だが、中国および一帯一路参加国は大規模な教育支援を行っている。その結果、世界の高等教育のあり方を変容させるほどの影響力を持つにいたっている。

コラム

中国の一帯一路とは？

一帯一路とは中国が展開している経済圏構想である。参加国はすでに120カ国を超え、中国に批判的な国の多いヨーロッパでもG7の一角であるイタリアが参加したほか、ギリシャなども参加している。ロシアと手を組んで北極圏を対象にした「アイスシルクロード」構想も進めている。

一帯一路では中国がローンを提供し、中国企業が港湾などのインフラを整備した後に、相手国が返済困難に陥ってインフラの利用権などを中国に取り上げられることが問題視されている。いわゆる「債務の罠（わな）」と呼ばれるものだ。スリランカのハンバントタ港が2017年7月から99年もの間、中国国有企業にリースされることになったことは有名だ。マレーシアでは事業撤退を一度表明し、その後中国側が債務を割り引いたことで事業撤退を免れている。

一帯一路は経済圏構想であるが、経済活動だけではなく、政治、医療、教育、文化、メディア、安全保障など幅広い範囲を網羅している。むしろ中国が一帯一路で行っているのは「超限戦」と呼ばれる「戦争」と考えるべきだろう。超限戦とは1

999年に中国で刊行された『超限戦』という書籍で提示された新しい戦争の形のことである。角川新書版からその内容を端的に表している箇所を引用する。

「あらゆるものが手段となり、あらゆるところに情報が伝わり、あらゆるところが戦場になりうる。すべての兵器と技術が組み合わされ、戦争と非戦争、軍事と非軍事という全く別の世界の間に横たわっていたすべての境界が打ち破られるのだ」

（『超限戦』２０２０年、角川新書）

超限戦とは戦争のために、軍事、経済、文化などすべてを統合的に利用することである。軍事主体の戦争は、過去のものとなった。もはや軍事と非軍事の区別はない。そう考えたのは中国だけではなかった。２０１４年にはロシアの新軍事ドクトリンに超限戦に近い戦争の概念が盛り込まれ、欧米諸国はこれをハイブリッド戦と呼び、世界は否応（いやおう）なしに超限戦、ハイブリッド戦の時代に突入した。近年のフェイクニュースやネット世論操作も超限戦あるいはハイブリッド戦のひとつである。

おおげさに言うと一帯一路は経済をてこにして世界を変革する超限戦なのだ。

レベル 5【第5問】

ネットで世論操作を行っている中国の五毛党の名前の由来はどれでしょう？

---

❶ 部隊長の名前が五毛だった

❷ ネット書き込みの謝礼が五毛（=0.5元）だった

❸ 部隊の拠点があった地区の名称から名付けられた

❷ネット書き込みの謝礼が五毛(=0.5元)だった

その規模は明らかではないが、かなり大規模な組織。あからさまな中国政府支持あるいは擁護よりも、関係のない話題を大量に書き込んだり、炎上させたりして本質的なことから人々の目をそらす書き込みが多いという。

中国の五毛党は有名なネット世論操作部隊であり、中国政府を支持、支援する書き込みを行っていることで知られている。ネットへの書き込み1回の謝礼が五毛（＝0・5元）だったことが由来と言われていたが、実際に五毛だったかどうかは確認されていない。以前は安価な謝礼であることから学生のアルバイトが多いと想像されていた。

しかし実際には年間4億件以上の書き込みのうちのほとんどを中国政府のさまざまな部局の関係者が担当していたという。中心になっていたのは中国江西省贛（かん）州（しゅう）市章貢（しょうこう）区にあるインターネットプロパガンダ部門ということがわかった。

あからさまな中国政府支持あるいは擁護の書き込みを行うことは必ずしも多く

なく、中国政府を批判する書き込みに反論することも多くない。関係のない話題を大量に書き込んだり、炎上させたりして本質的なことから目をそらす書き込みが多いという。

五毛党の人数は資料によって大きく隔たりがあり、２００万人とも、専任は30万人とも言われている。その規模は明らかではないが、かなり大規模な組織であることは確かだ。

２０１９年の香港の逃亡犯条例改正案への抗議行動では五毛党がＳＮＳに組織だって書き込みを行っていたことが報道され、フェイスブックやツイッターは五毛党に関係するアカウントを停止するなどの措置をとった。

２０１６年、中国からの独立を志向する政党が政権を握ってから台湾も五毛党のターゲットになった。

なお、五毛党の存在は海外にいる中国人の間でもよく知られているようだ。カナダ在住の知人の中国人数人に五毛党について訊ねたところ、半数以上が知っており、笑いながら「政府に雇われてネットに書き込んでる人たちでしょ」と答えてくれた。畏怖や不安というよりは、中国政府に対する諦念に近い感覚のようだ。

コラム

中国のディアスポラ・アプローチ

世界各地に中国出身の者がおり、チャイナタウンがある国も多い。現在も就職、留学などさまざまな形で世界各国に出ている。こうした人々をディアスポラと呼び、彼らディアスポラへのアプローチは以前から中国の課題であった。

アメリカのシンクタンク「大西洋評議会」のレポート（２０２０年12月）によると、ディアスポラへのアプローチは決してうまくいっていないようで、さまざまな問題点が指摘されている。相手社会の分裂を利用することができておらず、相手国の状況に関する知識が不十分で効果的なデジタル影響工作を行えていない。また、メディアの使い方も洗練されておらずディアスポラを取り込めていない。ただし、ディアスポラ対策に充分な資源を投入し、ＡＩなどの技術を活用することで短期間に改善される可能性もあるともしている。

改善の片鱗（へんりん）が見えたのが、インターネット上でパンデミックの最中に中国が仕掛けた「#StopAsianHate」便乗キャンペーンである。もともとこのハッシュタグは、アジア系アメリカ人が始めた人種差別を目的とした攻撃や差別をなくすためのもので正当な活動だった。アジア系アメリカ人の中にはディアスポラも多い。そこでこれに便乗する形でコロナウイルスが中国の研究施設で作られたと主張していたLi-Meng Yan博士への攻撃を始めたのだ。2021年4月から6月の間に、#StopAsianHateと#LiMengYanを含んだ3万件以上のツイートがあり、6000以上の不審なアカウントがリツイートした。アメリカではなく北京のビジネス時間帯に多く投稿されているなど、中国の関与を疑わせるものが多かった。このキャンペーンは、フェイスブックやRedditなど複数のSNSで行われた。

中国のディアスポラへのアプローチは徐々に洗練されてきており、中国の脅威にさらされているオーストラリアの上院では、自国の中国ディアスポラに対してデジタル影響工作に取り込まれないような措置を講じるべきとする提言が出された。

レベル 6

予測捜査や通信傍受……目に見えない「情報」をめぐる世界の現状、知っていますか？

レベル6【第1問】

2020年アマゾンやIBM、マイクロソフトなど大手企業が相次いで顔認証システムの提供を中止しました。
その理由ではないものを選んでください。

---

❶ 採算がとれないため

❷ 警察が誤用、濫用しているため

❸ 精度に問題があるため

❹ 法制度が整備されていないため

❶ 採算がとれないため

顔認証システムでは、性別、年齢、肌の色によって認識の精度が変わることが判明しており、誤認逮捕なども生じている。性別では女性、年齢では若年層と老人、肌の色は白くない場合の精度が低く、社会的弱者を誤認しやすいため、差別や偏見を助長するという批判が起きた。

AIを使った顔認証システムはなんとなく精度が高そうに思えるが、実はそうでもないことがわかってきた。しかも人種などによる偏りも見つかり、倫理的な問題にも発展している。

顔認証システムの精度についてはMIT（マサチューセッツ工科大学）やアメリカ国立標準技術研究所（NIST）がテストを行っており、どちらも性別、年齢、肌の色によって認識の精度が変わることが判明している。性別では女性、年齢では若年層と老人、肌の色は白くない場合の精度が低く、社会的弱者を誤認しやすいという結果が出たため、差別や偏見を助長するという批判が起きた。また、MITのテストではアマゾンのRekognitionはマイクロソフトやIBMのものよりも成績が悪く（アマゾンはNISTのテストには参加していない）、メーカーによって精度に有意な差があることもわかっている。

アメリカでは顔認証システムの誤認識のために無実の一般市民が逮捕、拘留（こうりゅう）された事例もあり、精度の低さが深刻な社会問題になっている。

こうした問題を踏まえて2019年5月にアメリカ自由人権協会（ACLU）はアメリカ下院に、現在の顔認証システムには精度、特定の人種などへの偏見の助長、憲法に抵触する危険、透明性の欠如などさまざまな問題があり、いったん利用を禁止し、調査と法制度の整備を行う必要があるとする資料を提出した。

さらに２０２０年５月、ジョージ・フロイドという黒人男性がミネソタ州で白人警官に殺されたことをきっかけに全米に人種差別への抗議活動＝黒人人権運動（Black Lives Matter）が広まったこともあり、アマゾン、マイクロソフト、ＩＢＭ、グーグルといった企業は顔認証システムの提供を停止した。アマゾンはその理由を説明していないが、精度、法制度、法執行機関の誤用と濫用が収まるまで待つことにしたのだろうと推測されている。

ＮＩＳＴの顔認証システムのテストは２０１７年から行われており、２０１９年まではテスト対象のアルゴリズム数（一企業が複数のアルゴリズムを提供していることもある）と企業数は急増していた。しかし、２０２０年には大きく減少した。アルゴリズム数、企業数ともに２０１９年の半分以下であり、黒人人権運動の影響の大きさがうかがえる。ＮＩＳＴのページで最新の情報を確認できる。

ただし、必ずしも大手企業すべてが提供を中止したわけではない。アメリカ移民・関税執行局は大手顔認証システム企業Clearview AI社と契約を締結しているし、日本のＮＥＣも提供を継続している。

コラム

犯人を予測する予測捜査システムの問題点

顔認証システムなどの監視システムと並んで、予測捜査システムの普及が進んでいる。過去の犯罪統計およびその地域、地理的条件、時間的距離的近接度、被害者および被害物の属性や傾向などのデータをもとに、犯罪を予測するシステムである。多くのものはＡＩ（ディープラーニング）を用いている。

犯罪が発生しやすい状態の地域あるいは犯罪に手を染めやすい／被害に遭いやすい人物、グループを予知し、警告を出すほか、パトロールのスケジュールなどのマネジメントも機能に含まれているものが多い。システムが警察官にパトロールの指示まで出すところは、映画『マイノリティ・リポート』や『PSYCHO-PASS』の世界と同じだ。

予測に基づいて警察は監視やパトロールなどの措置をとって犯罪を未然に防ぐ、あるいは事後に迅速に対応できるようにする。

予測に当たって個々人の個人情報まで必要としないシステムから、免許証、住所、電話番号、社会保障番号、事件の記録、捜査記録、聞き取りカードの内容、過去の犯罪統計などの機密性が高く、プライバシーに踏み込んだデータを使用するシステムまである。

アメリカと日本で導入が進む予測捜査ツールには多くの問題が指摘されている。個別のシステムに特有なものもあるが、共通するものも多い。そもそも本当に効果があるのか？　という疑問の声も少なくない。２０１６年、シカゴ市警が予測捜査を開始した際、ランド研究所がその内容を精査し、効果は確認できなかったと結論している。

予測捜査システムには次のような問題がある。

●利用しているデータには多くの場合、有罪率が含まれていない。認知、逮捕、検挙と有罪は別である。これに限らず警察の保有しているデータはＡＩの機械学習には不完全であり、客観的、中立的とは言えない。

●アメリカでは「割れ窓理論」（割れた窓を放置しておくと安全に無関心な地域と認識されて治安が悪化する）を参考に、軽微な犯罪も見逃さないようにしている警察署が多い。警官が多く巡回、配備されている地区では犯罪検挙が多くなる（本来の犯罪発生率とは関係なく）。「割れ窓理論」に基づいて警官を配置している地区で予測捜査システムを導入すると、過去のデータからその地区での犯罪発生が多くなることを予測し、そこに多くの警官が配備され、そこでの犯罪検挙は増加する。増加したことにより、予測捜査ツールはさらに警戒を要請し、さらに検挙は増えるというフィードバック・ループが形成される。逆に他の地域への配備は減少し検挙も減少するため、いっそうフィードバック・ループが強化される。

●偏見や差別に基づいて特定のグループを監視している警察署では、その監視対象についてのデータが多く、それをもとに予測捜査ツールが出す予測は特定のグループの犯罪可能性を高く評価してしまう。たとえばニューヨーク市警は、反戦活動家や左派活動家、そしてムスリムを特別なチームを作って監視していた。日本でも活動家やムスリムなど特定のグループに対する監視が行われている。言葉を換えて言うと、予測捜査ツールが予測しているのは犯罪そのものではなく、「警察官が犯罪が起きそう／起こしそう、と考える地域や人物を予測」しているということだ。元のデータが公正中立ではなく、警察の偏ったデータによるものである以上、こうなるのは当然と言えるかもしれない。

●導入前も導入後も予測捜査ツールを監査、検証する方法が確立されていない。これは根本的な問題であり、正しいことを検証できないツールを法執行機関が使い続けることの是非が問われている。

●深刻なプライバシー侵害や倫理的問題が指摘されている。

●適切な運用が行われていない。これは主としてツールの利用方法の説明が不十分で、現場の警察官が理解していないことに起因する。たとえば多くの予測捜査ツールは、「将来の犯罪被害者リスト」も予測するのだが、警察官が充分に理解していないため「将来の容疑者リスト」として扱っていた。

こうした批判を受けて、予測捜査を禁止する動きも出てきている。カリフォルニア州サンタクルーズ市は予測捜査を禁止した。同市には予測捜査ツール大手PredPol社の本社があるが、同社はコメントを拒否した。また、ニューヨーク市では警察が利用している監視技術をリストアップし、市民に説明することを義務づける「POST Act」が成立した。

レベル６【第2問】

Q

2020年のアメリカ大統領選で
トランプ陣営が配布したアプリになかった
特徴はどれでしょう？

❶ アプリ利用に電話番号、メールアドレス、フルネーム、郵便番号の登録が必要

❷ スマホのアドレス帳をアプリと共有しなければならない

❸ 投票会場に行ったことをブルートゥースで確認できる

❹ 位置情報、SDカード情報の読み取りや削除が許可されている

❸ 投票会場に行ったことをブルートゥースで確認できる

トランプ陣営はOfficial Trump 2020 appを2020年4月から配布し、10月末の段階で200万を超えてダウンロードされた。このアプリは多数のアクセス権限を求めるものだった。

2020年に行われたアメリカ大統領選挙はトランプとバイデンの戦いとなり、両陣営はネットを駆使した選挙運動を繰り広げた。専用アプリの配布もそのひとつで、利用者のプライバシーにかなり踏み込んだ機能を搭載していた。

トランプ陣営はOfficial Trump 2020 appを2020年4月から配布し、10月末の段階で200万を超えてダウンロードされた。このアプリには電話番号、メールアドレス、フルネーム、郵便番号の登録が必要で、スマホのアドレス帳の共有、位置情報の提供、SDカードを読み書きする権限がアプリに与えられていた。また、キャンペーン会場などに置いた看板にブルートゥース発信機がついており、スマホが近くを通った際にわかるようにもなっていた。さすがに投票会場に行ったことまで確認する機能はなかった。

対立候補のバイデン陣営の配布しているアプリVote Joe appはトランプ陣営のアプリよりも要求するアクセス権限は少なかったが、アプリをインストールすると、スマホのアドレス帳を共有するように求められ、共有されたアドレス帳の連絡先が有権者名簿と対照され、連絡先の知人に対してメッセージを送って、バイデンへの投票を勧めるようになっていた。

両陣営のアプリは利用者の行動や人間関係を監視し、行動を促すように作られているため、MIT Technology Reviewはこれらのアプリが目指しているのはインドのようなデジタル権威主義国で用いられているアプリで、監視ツールであると断じている。

このほかに2020年のアメリカ大統領選で目立ったのは、テキストメッセージの利用だ。用いられたテキストメッセージは携帯のSMSで、通常は一対一のものを大量に一斉送信した。アメリカの有権者はのべ30億通の政治的なテキストメッセージを受信すると推定されていたほどに多い。ちなみにアメリカの有権者数は2億3400万人強である。

まんべんなく送信するのではなく、支持政党が確定していない地区(スイング・ステート)や重要な有権者グループに重点的に送信されたと見られている。

今回、大規模に使用されるようになった背景には、この4年間で個人向けにカスタマイズしたテキストを大量に送信するサービスが開発されたことと、選挙活動に関する法規制が通信技術に追いついていないことがあげられる。ほとんど規制のない状態で正体を隠し、キャンペーンを実行できる。SMSは送信者がわかるが、そこに電話しても応答はない。電話番号は外注業者のもので、法規制がないため発注者を開示する義務はなかった。

レベル 6【第3問】

アメリカ国家安全保障局（NSA）が開発、運用しているXKeyscoreの機能を選んでください。

❶ ロシアの核兵器配備状況をリアルタイムで監視する

❷ 中国国内で親米的なネット世論操作を行う

❸ メールやウェブ閲覧、音声通話などの通信を傍受、蓄積、検索できる

❸メールやウェブ閲覧、音声通話などの通信を傍受、蓄積、検索できる

XKeyscoreは通信の「すべてのデータ」を収集しており、メールやウェブ閲覧、音声通話だけでなく、PCカメラの画像、SNS、キーログ（キーボード操作の記録）、パスワードなども含まれている。

XKeyscoreの存在は長らく秘密になっていたが、エドワード・スノーデンによる告発で明らかになった。エドワード・スノーデンはアメリカの国家安全保障局（NSA）、アメリカ中央情報局（CIA）、Dell、ブーズ・アレン・ハミルトンに勤務したことがあり、日本の横田基地にもいたことがある。

2013年5月、エドワード・スノーデンはNSAのハワイの拠点のシステムから莫大な量の通信傍受などに関するデータを持ちだし、香港に渡った。翌6月ガーディアン、ワシントン・ポスト、サウス・チャイナ・モーニング・ポストといったメディアの取材を受けて暴露し、それが世界中に配信された。世界をゆるがすスキャンダルとなり、日本でも大々

的に報道されたので記憶している方も多いと思う。

２００８年の資料ではアメリカ、メキシコ、ブラジル、イギリス、スペイン、ロシア、日本など１５０カ所にXKeyscoreの監視施設があり、７００以上のサーバーがあることになっている。

XKeyscoreは通信の「すべてのデータ」を収集しており、そこにはメールやウェブ閲覧だけでなく、音声通話、ＰＣカメラの画像、ＳＮＳ、キーログ（キーボード操作の記録）、パスワードなどが含まれている。保管期間は3日から5日間で、メタデータは30日から45日間となっている。重要なものはもっと長く保管される。検索する際、メールアドレスやＩＰアドレスなどさまざまな項目をキーにし、検索結果からメール本文、ＳＮＳのチャットなどの内容を確認できる。

傍受方法は通信ケーブルからの傍受、システム管理者を狙ったハッキングや、世界最大のＳＩＭカードプロバイダーGemaltoをハッキングして暗号鍵を盗むなど多岐にわたる。

XKeyscoreは日本でも利用されている。その詳細は次の第4問でご紹介する。

レベル 6【第4問】

アメリカ国家安全保障局（NSA）の
XKeyscoreの拠点は世界各国にあり、
日本にも3カ所あります。日本政府は
そのためにいくら支出しているでしょう？

---

❶ 100億円未満

❷ 100億円以上

❸ 1000億円以上

❷100億円以上

日本国内にもXKeyscoreの設備があり、日本はそのための費用500億円以上を負担している。アメリカ国家安全保障局（NSA）のカウンターパートナーは防衛省情報本部だが、情報本部電波部の歴代トップは警察出身であり、XKeyscoreが警察を含む複数の政府機関で共有、利用されている可能性が指摘されている。

アメリカの国家安全保障局（NSA）はXKeyscoreという名前の通信傍受システムを有している。XKeyscoreはカナダ、ニュージーランド、イギリス、日本にも提供されており、日本では防衛省情報本部電波部が利用している。日本の国内には3カ所の拠点があり、およそ500億円以上（5億ドル以上）の費用を日本が負担している。

拠点のひとつである自衛隊の太刀洗通信所には、Mallardと名付けられた監視プログラムのための巨大なアンテナとドームがあり、アジア地域を主に監視対象としており、200の通信衛星を傍受できるという。

2018年5月19日放送のテレビ番組『NHKスペシャル　日本の諜報　スクープ　最高機密ファイル』では、スノーデンが諜報機関から持ち出した「ジャパン・ファイル」などの内容を公開した。

そこには日本の横田基地で通信装置が開発され、中東での戦闘に役立ったことが書かれていた。そのための人件費年間約3750万円（37万5000ドル）と開発費用約6億6000万円（660万ドル）は日本政府が支払っている。

2017年5月17日の第193回衆議院外務委員会では、衆議院議員で外務委員会メンバーの宮本徹の質問により歴代の防衛省情報本部電波部トップがすべて警察出身であることが明らかにされ、XKeyscoreの情報が警察を含む複数の日本政府組織で共有されている可能性が指摘された。

それは、自衛隊情報保全隊が自衛隊のイラク派遣に批判的な市民の活動を監視していた際、XKeyscoreが使用されたのではないかというものだったが、明確な回答は得られていない。なお、自衛隊がイラク派遣に批判的な市民の活動を監視していたことは事実として自衛隊も認めており、東北6県の住民らが国に監視の差し止めと損害賠償を求めた裁判では国の賠償責任が認められ、判決が確定している。なお、監視の差し止めは却下されたので監視活動は合法的に現在も行われている可能性が高い。また、自衛隊の監視対象はイラク派遣に反対する市民に留まらず、医療費負担増、国民春闘、年金制度などへの抗議も含まれていた。

また、これとは別に「ターゲット・トーキョー」という名称でNSAが日本政府および民間企業に対して盗聴活動を行っていたことも暴露されている。

コラム

知らない間に進む日本の警察の監視システム

アメリカの監視システムXKeyscoreは日本でも活用されていることがわかっているが、日本の警察でも独自の監視システムを構築している。

たとえば、日本の警察では顔認証システムのことを「三次元顔形状データベース」と呼んでいる。すでに警視庁は逮捕した全容疑者の顔のデータベース化を進めている。全容疑者とは、無実であることがわかって釈放された者＝なんの犯罪も行っていない者まで含んだデータベースである。そして、2014年の段階で警視庁、茨城県警、群馬県警、岐阜県警、福岡県警に「可搬型顔画像検出照合装置」が導入されていたことがわかっている。

その後、「三次元顔形状データベース」は民間事業者の持つ監視カメラの映像を警察がリアルタイムで一元監視し、顔認証できるようになった。非常時映像伝送システムと呼ばれるシステムであり、現在は公共交通機関（東京メトロ、JR東日本、都営地下鉄）の監視カメラが連動できるようになっている。

非常時映像伝送システムに関する資料「テロ対策に向けた民間カメラの活用に関

する調査研究報告書」は、以前は警察庁のサイトでダウンロード可能だったが、現在は抹消されている。

すでに全国の警察では、民間の防犯カメラやSNSの画像を顔認証システムで照合している。みなさんがなにも意識せずにツイッターやインスタグラムに投稿した画像が、警察の顔認証システムでチェックされていることになる。また、2021年7月からJR東日本では顔認識カメラを利用して犯罪容疑者、刑務所からの出所者と仮出所者、不審者の顔を登録し、照合していることに読売新聞が2021年8月26日の解説記事で触れ、その後9月21日に記事で紹介した。まだ法を犯していない者まで、不審というだけで勝手に登録されているのは問題がありそうだ。

レベル 6【第5問】

ファイブ・アイズについての正しい説明を選んでください。

---

❶ アメリカおよび同盟国の5カ国で構成される警察組織

❷ 英語圏5カ国の国際諜報活動の協定

❸ 5社の国際金融資本による国際的圧力団体

❹ イギリスが提唱する対中国経済包囲網

❷ 英語圏5カ国の国際諜報活動の協定

アメリカ、イギリス、カナダ、オーストラリア、ニュージーランドの５カ国の国際諜報同盟であり、安全保障のための情報共有を行っている。

ファイブ・アイズとはＵＫＵＳＡ協定に基づくアメリカ、イギリス、カナダ、オーストラリア、ニュージーランドの５カ国の国際諜報同盟であり、安全保障のための情報共有を行っている。そのために全世界の通信を傍受している。各国の担当部局は諜報組織であり、アメリカでは国家安全保障局（ＮＳＡ）が担当している。諜報機関の協定なので、人権やプライバシーの尊重など民主主義的価値観に反する活動も多い。

同盟国の政治家や企業なども盗聴の対象となっていることが、スノーデンやWikiLeaksの漏洩データから明らかになっていた。

私用の携帯電話がＮＳＡに盗聴されていたことを知ったドイツのメルケル首相は、「我々は不幸にもファイブ・アイズではない」とコメントした。メルケルは長い間、ファイブ・アイズに参加したかったようだが、認められなかった。その後、フランスを加える案も出たが、アメリカが反対した。

カナダでトルドー政権が誕生した際には、自国民のプライバシーへの懸念から一時的に情報共有をやめる事態も起きた。

参加国は対等の立場というわけではなく、提供できる情報によって立場が異なっており、アメリカの立場がもっとも強く、その次がイギリスとなる。

近年、日本の政治家の一部から、日本も参加してシックス・アイズになるべきだという発言が出ている。日本では河野太郎が繰り返しファイブ・アイズへの参加意欲を示している。２０２１年４月22日にはThe Diplomat誌に「Integrating Japan Into an Expanded 'Five Eyes' Alliance」と題する記事が掲載された。

しかし、日本には参加にあたっていくつもの問題点がある。たとえば独自の対外諜報機関がない、法的な縛りで自由な情報収集がしにくいなど、越えなければならないハードルは高い。重要度の増しているサイバー防衛に関しても諜報関連の課題は山積みである。たとえばサイバー防衛に欠かせないサイバー脅威情報共有にはかなり問題がある。日本とアメリカは軍事同盟関係にあり、２０１５年から日米の防衛ガイドラインにはサイバー攻撃が含まれている。そのためバランスの取れた脅威情報の共有は両国にとって重要な課題となっていた。また、２０１３年の日米防衛フレームワークには脅威情報の共有も含まれていた。だが、実際には脅威情報の共有は思ったようには進んでいない。日本が大幅に後れを取っていることが原因だ。

ＮＡＴＯ（北大西洋条約機構）のサイバー防衛協力センター（Cooperative Cyber Defence Centre of Excellence＝ＣＣＤＣＯＥ）の資料「Cyber Threats and NATO 2030: Horizon Scanning and Analysis」（２０２０年12月）の第10章「Considerations for NATO in Reconciling Challenges to Shared Cyber Threat Intelligence: A study of Japan, the US and the UK」では、日本の脅威情報共有の課題について厳しく指摘している。これを読む限りでは日本のファイブ・アイズ参加の道のりは険しそうだ。仮に参

加しても共有できる情報はかなり制限されるだろう。

　また、日本が参加するメリットは必ずしも明らかではない。たとえば日本が提供できる情報はすでにアメリカを通して共有されている可能性は高い。ファイブ・アイズでは参加国が同等の情報を得られるわけではないので、日本が参加してもどこまでの情報を得られるかは不明である。

　日本とアメリカ双方の思惑とメリットは明らかではないが、アメリカの安全保障に関係するシンクタンクから公的なレポートが公開されるなどの動きもあり、日本のファイブ・アイズ参加を促す動きは日本以外にもあるようだ。

　日本が持っているプラットフォームの

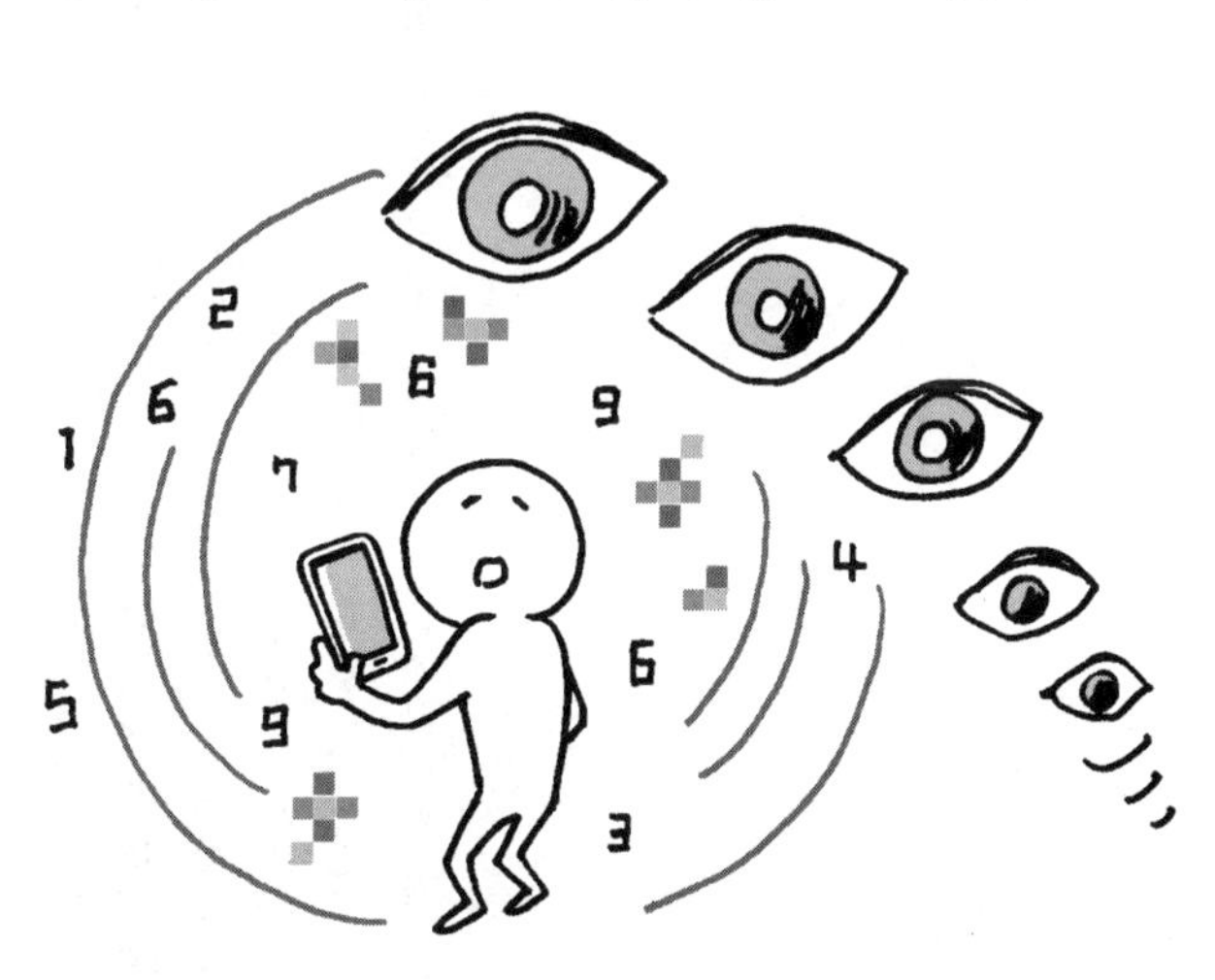

情報をファイブ・アイズが求めているという見方もできる。２０２０年10月11日、ファイブ・アイズに日本とインドを加えた7カ国が、ＩＴ企業に対して「通信の暗号化の際に政府が利用できるバックドア（裏口）を設けるように要請する」という声明を発表した。平たく言うと、政府機関が必要に応じて暗号化した通信の内容を確認するための仕組みを用意しろ、と各国のＩＴ企業に要請している。日本に関して言うなら、ＬＩＮＥを始めとするＳＮＳはもちろん、それ以外の各種通信も傍受できるような仕組みを作るように運営企業に要請したことになる。

レベル 7

聞いたことがあるような、ないような……？
最新の略語や注目キーワードをおさらい！

【第1問】

Q

GitHubについての正しい説明を
選んでください。

---

❶ プログラムのソースコードを管理するオンラインサービス

❷ マイクロソフト社が買収したソフト開発企業

❸ ハッカーのためのマルウェア情報交換サイト

❶ プログラムのソースコードを管理するオンラインサービス

類似のサービスはほかにもあるが、さまざまなオープンソースのコードがここで管理されていることや、コミュニティ機能なども充実しているためGitHubは人気がある。多くの企業が利用している。

GitHubはプログラムのソースコードを管理するオンラインサービスで、個人での利用ならほぼ無償である。チームや企業での利用には有償プランが用意されている。

GitHubという名称は「Git」の「Hub」（拠点）ということからついている。「Git」とはプログラムのバージョン管理システムのことである。

プログラムを開発するにあたっては、修正や更新の履歴を管理することが重要になる。修正した後で間違いに気づいて、ひとつ前に戻りたいことはよくある。その際、いちいち自分でコピーを保存しておくのは面倒である。それをGitは自動で行ってくれる。チームで開発する際には、複数人が同時に同じファイルを更新するといった問題が起こりやすい。

Gitはこうしたプログラムのバージョン管理を分散型で実現したシステムで、そのGitがオンラインで集まる場所ということでGitHubである。

似たようなサービスはほかにもあるが、さまざまなオープンソースのコードがここで管理されていることや、コミュニティ機能なども充実しているためGitHubは人気がある。

多くの企業がGitHubを利用しており、GitHubのユーザー事例のページには、ＫＤＤＩや富士通などの名前が並ぶ。

GitHubで管理できるのはプログラムだけでなく、バージョン管理の必要な画像やテキストファイルなどさまざまなものが管理可能となっている。作家と編集者の間の原稿のやりとりや複数人の共同執筆なども GitHub で行われている。

レベル7【第2問】

サイバーセキュリティの分野でよく使われる
APTについての正しい説明を選んでください。

---

❶ 高度なサイバー攻撃の種類

❷ NATOにあるサイバー防衛組織

❸ 韓国のハッカー集団

❶ 高度なサイバー攻撃の種類

APT とは「Advanced Persistent Threat」の略で、「先進的で（Advanced）」、「執拗（しつよう）な（Persistent）」、「脅威（Threat）」の意味。長期にわたって高い技術を用いた攻撃を行うため、相応の態勢を持つ国家や規模の大きなテロ組織あるいはサイバー犯罪組織が実行している。

ＡＰＴとは「Advanced Persistent Threat」の略で、「先進的で（Advanced)」、「執拗な（Persistent)」、「脅威（Threat)」の意味である。類似の攻撃方法あるいは技術を用いた脅威を指す分類方法。多くの場合は攻撃グループの攻撃方法によって複数のＡＰＴに区分される。長期にわたって高い技術を用いた攻撃を行うため、相応の態勢を持つ国家や規模の大きなテロ組織あるいはサイバー犯罪組織が実行している。

ＪＰＣＥＲＴ／ＣＣの「高度サイバー攻撃（ＡＰＴ）への備えと対応ガイド」によれば、「明確な長期目標に基づく作戦行動のような活動が見られる」「活動を遂行するために巧妙に仕組まれたインフラ／プラットフォームがある」「標的

とする組織の従業員に対する諜報活動を行う能力がある」「目的達成のために、様々なテクニックやソフトウェアを組み合わせることができる」「侵入検知や各種インシデント対応措置に対して速やかに適応し攻撃手法を改変する能力がある」といった特徴を持っている。

攻撃の主体を識別するためにファイア・アイ社がナンバリングしており、たとえばAPT1(中国人民解放軍総参謀部第三部二局61398部隊、PLA Unit 61398)、APT28(Fancy Bear、ロシアのGRU)となっている。APTでは中国発信の数多くのグループが見つかっている(APT41、APT40、APT30、APT19、APT18、APT17、APT16、APT12、APT10、APT3、APT1ほか)。その他にはロシア(APT29、APT28)、イラン(APT39、APT34、APT33)、北朝鮮(APT38、APT37)、ベトナム(APT32)などにもAPTグループがある。

数字以外にその国の代表的な動物の名前もつけられており、たとえば中国はパンダ、ロシアはベア(熊)といった名前になっている。

コラム

サイバー空間では攻撃側が圧倒的に有利

サイバー攻撃は非対称であると言われている。つまり攻撃側が圧倒的に有利で、防御側が不利ということだ。理由はいくつかある。たとえば、攻撃側は一カ所でも相手のシステムの脆弱なポイントを見つければ、そこから攻略できる。だから相手のシステムの詳細について熟知する必要はない。これに対して防御側は巨大なシステムのすべてを常に安全な状態に保つ必要がある。そのために必要な人的資源やコストは攻撃側に比べるとはるかに大きくなる。また、攻撃側は最新の技術を利用して攻撃することが可能だが、防御側はそうではない。ほとんどの場合、システムに新しい技術を導入するには事前に入念な準備やテストが必要になるし、時間もかかる。

非対称性がどれほど問題であるかは、実際に起きたサイバー攻撃を考えてみるとよくわかる。歴史に残るような大規模な攻撃であっても、確たる証拠がなく、犯罪として立件できなかったり、相手がしらばっくれたままのものが多い。つまり「やったもん勝ち」の状態なのだ。だからサイバー攻撃は増加し、深刻化している。かつてのサイバー攻撃とは違い、金融、交通、生産といった社会のインフラをマヒさせ、破壊できるようになったため本格的な戦争の道具となり、深刻な脅威をもたらしている。

情報を盗み出すだけでなく、銀行業務を停止させたり、交通をマヒさせたり、生産設備を止めたり、電力を止めることもできる。しかも従来の軍事攻撃と異なり、少ないコストで正体を隠したまま実行できる。攻撃側から考えると、理想的な攻撃手段だ。

この脅威に対して、自由主義諸国はサイバー攻撃を規制や条約によって制限することで対応しようとしているが、それ以外の国＝ロシアや中国は乗り気ではない。特にロシアは非対称性をさらに広げるために国家全体をインターネットから切り離す準備を進めている。インターネットから切り離されてしまえば、ロシアを攻撃することは難しくなる。その一方でロシアはインターネットに接続されているオープンな他国を好きに攻撃できるという非対称性を実現できる。

サイバー空間における今後の脅威についてまとめたＮＡＴＯ（北大西洋条約機構）のサイバー防衛協力センターのレポートでは、ロシアが２０２４年に自国のサイバー空間を閉鎖化することが今後安全保障上の脅威になると指摘されている。国全体が閉鎖ネットに移行することによって、戦略レベルの優位を得ることになり、サイバー戦のあり方そのものを変える可能性もある。

　ロシアが閉鎖ネットに成功すれば、ほかにも追随する国が現れ、インターネットは国家ごとに区切られるようになるかもしれない。

SHODANについての正しい説明を
選んでください。

---

❶ サイバー犯罪関連情報に特化した検索エンジン

❷ 中国で開発された検索エンジン

❸ ネットに接続されている機器を検索できる検索エンジン

❸ ネットに接続されている機器を検索できる検索エンジン

工場の制御機器はもちろん、ネットに接続されているIPカメラ、ATM、発電所内の制御システムなども見つけられる。

SHODANはネットに接続されている機器を検索できるサービスで、広範に機器を検索することができる。工場の制御機器はもちろん、ネットに接続されているＩＰカメラ、ＡＴＭ、発電所内の制御システムなどと遭遇することもある。そこから脆弱性のある機器を見つけることも難しくはない。ただし、SHODANが収集している情報は機器から得ているので、機器が正しい情報を返さない場合や応答しない場合は役に立たない（ある程度セキュリティに配慮している場合はそういった設定にしていることが多い）。

Nmapや Metasploit、Maltego、FOCAなどのサイバーセキュリティツールと連動して検索結果をツールで解析できるなど利便性が高くなっている。Chromeや Firefoxのプラグインもある。フォーチュン１００社の81％、１０００以上の大学で利用されているという。

３種類の有料プランが用意されており、フリーランスが59ドル／月、Small Business ２９９ドル／月、Corporate ８９９ドル／月となっている。違いは主として検索できる回数やＩＰ数でフリーランスが月当たり１００万回検索できるのに対し、Small Businessは２０００万回、Corporateは無制限となっている。同様の違いが、検索できるＩＰ数にもある。そのほかに、Small BusinessとCorporateでは脆弱性をキーにした検索が可能だ。また、SHODANのシステムをまるごとコピーできるEnterprise Accessというサービスもある。

類似サービスとしてミシガン大学の研究者グループが開発したCensysがある。こちらはすべて無料である。SHODANに比較すると脆弱性を見つけやすく、たとえば特定の脆弱性のある機器を検索することができる（SHODANでは有料）。

Censysは全体的にサイバーセキュリティ保全に注目したサービス構成になっており、教育や啓発のためのウェビナー（オンラインのセミナー）にも力を注いでいる。

SHODANもCensysも本格的なサイバー犯罪で利用されることはほとんどないと考えられている。本格的なサイバー犯罪を行う者は検索エンジン以上の検索をより短い時間で自前で行うことができるからだ。このふたつのサービスの開発者は研究目的だったようなので、その目的に沿った利用には適しているのだろう。

Q

ICS（Industrial Control System＝産業用制御システム）についての正しい説明を選んでください。

❶ ICSはその性質上、現在もっとも安全性の高いシステムでサイバー攻撃を受けることも少ない

❷ ICSには常に例外なく最新の技術が採用されている

❸ ICSへのサイバー攻撃は増加しており、各国が対策にしのぎを削っている

❸ ICSへのサイバー攻撃は増加しており、各国が対策にしのぎを削っている

サイバー犯罪集団などさまざまな組織が攻撃を行っており、手口は高度化している。

社会インフラになっているものもあり、ICSセキュリティの問題は深刻さを増している。

オフィスのシステムはＩＴシステム、生産設備や発電所など産業系の制御・管理システムはＩＣＳと呼ばれており、その一部は社会のインフラになっている。ＩＣＳセキュリティに対する脅威は近年特に高まっており、攻撃の数も増加の一途をたどる。これまでもＩＣＳセキュリティは重要な課題だったが、より深刻さを増し、緊急度が上がってきている。サイバー犯罪集団などさまざまな組織が攻撃を行っており、手口は高度化してきている。

米国とアジア・太平洋地域をターゲットとしたHEXANE、PARISITE、WASSONITEなど11の攻撃グループが活動している。ＩＴシステムとＯＴシステム（物理的な制御システム）をブリッジして侵入するもの、ＶＰＮ（仮想の専用線）の脆弱性を突くもの、サプライチェーンを狙うものなどさまざまな攻撃手法が確認されている。

近年ではTritonと呼ばれる攻撃フレームワークが注目された。このフレームワークが見つかったのは、２０１７年にサイバー攻撃によってサウジアラビアの石油化学プラントが停止した事件だった。狙われたのはフランスのシュナイダー・エレクトリックの安全計装システム（ＳＩＳ）Triconexの脆弱性で、そのシステムは世界の約1万８０００のプラントで使用されており、脅威は深刻なものだった。

ＩＣＳセキュリティにはＩＴセキュリティと異なる面が多々ある。たとえば、ＩＴセキュリティでは明らかになった脆弱性にはすぐに対応するのが原則であるが、ＩＣＳでは必ずしもそうではない。多くのＩＣＳシステムは停止することで、社会的、経済的に大きなインパクトをもたらす可能性を持っている。オフィスのＰＣが1台起動しなくなるのと、発電所が止まったり、工場の生産ラインが停止するのとは深刻さが違う。そのため明らかになった脆弱性などの問題を評価し、適切に対処する必要がある。

そもそも報告されているＩＣＳセキュリティの脆弱性の64％は実際にはリスクを引き起こさず、さらに34％は不正確という指摘もあるくらいだ。また、報告されていないＩＣＳセキュリティの脆弱性も少なからず存在しており、報告されている脆弱性への対策だけでは充分ではない可能性も高い。

ＩＣＳセキュリティはインフラの防御になるため、民間企業の課題である以上に安全保障上の問題に位置づけられる。日本では技術研究組合制御システムセキュリティセンター（ＣＳＳＣ）、経済産業省の産業サイバーセキュリティセンターおよび産業技術総合研究所サイバーフィジカルセキュリティ研究センター（ＣＰＳＥＣ）などを始めとする各機関がＩＣＳセキュリティの向上と啓発を行っている。

しかし、いまだにSHODANで検索すると脆弱性のある製品が日本企業で使われているのが見つかるなど、改善の余地が多々ある。

【第5問】

Q

タリン・マニュアルについての正しい説明を選んでください。

---

❶ 情報資産管理における国際標準を定めた資料

❷ サイバー戦による国際紛争に対する国際法の適用について整理した包括的な資料

❸ ロシアの研究者がまとめたサイバー戦争論

❷ サイバー戦による国際紛争に対する国際法の適用について整理した包括的な資料

サイバー空間での戦いについての扱いはこれまで整理されていなかった。タリン・マニュアルは国際法をサイバー空間にあてはめた場合の適用方法について、包括的にまとめた最初の資料である。

タリン・マニュアルとは、２０１３年に公開されたＮＡＴＯ（北大西洋条約機構）のサイバー防衛協力センター（ＣＣＤＣＯＥ）の資料で、サイバー戦に適用可能な国際法についてまとめたものである。武力による紛争などにはすでに国際法が存在するが、サイバー空間での戦いについての扱いはこれまで整理されていなかった。タリン・マニュアルは国際法をサイバー空間にあてはめた場合の適用方法について包括的にまとめた最初の資料である。

タリン・マニュアルは同組織の主力プロジェクトで、世界各国の専門家が結集して作業に当たった。２０１７年には対象範囲を広げたタリン・マニュアル２・０、２０２１年にはタリン・マニュアル

3・0の作業が始まっている。

サイバー空間の争いは増加しているが、国際的な統一ルールはまだ存在していない。

包括的に国際法とサイバー空間での問題の関係を整理した唯一の資料とも言えるのがタリン・マニュアルである。そのため政策関係者やサイバー関連の法律関係者にとって数少ない貴重な拠(よ)り所になっている。

ただし、NATOのプロジェクトなので、サイバー戦争におけるキープレイヤーであるロシアや中国はプロジェクトに参加していない。そのため国際的合意があるわけではなく、公式なルールブックというわけでもない。

レベル 8

世界情勢を知るうえで、押さえておきたい
組織やサービスについてのクイズです！

レベル 8【第1問】

内閣サイバーセキュリティセンター（NISC）についての正しい説明を選んでください。

---

❶ NISCは我が国最大、最強、最多のサイバーセキュリティ技術者を抱える組織である

❷ NISCは我が国のサイバーセキュリティの中枢を担う組織で官民の関係機関と連携している

❸ NISCは中間法人として我が国のサイバーセキュリティ安全保障の任に当たっている

❷ NISCは我が国のサイバーセキュリティの中枢を担う組織で官民の関係機関と連携している

2015年に発足した組織で、計画、連絡など調整組織の役割を担っており、国際的な窓口にもなっている。

内閣サイバーセキュリティセンター（ＮＩＳＣ）は２０１４年に成立したサイバーセキュリティ基本法に基づき、２０１５年に発足した組織で、我が国のサイバーセキュリティの中枢となる機関である。計画、連絡など調整組織の役割を担っており、国際的な窓口にもなっている。メンバーは関連省庁や民間企業からの出向者が中心で一定期間で交代する。

２０２０年12月に公開されたＮＡＴＯ（北大西洋条約機構）のサイバー防衛協力センター（Cooperative Cyber Defence Centre of Excellence＝ＣＣＤＣＯＥ）の「Cyber Threats and NATO 2030: Horizon Scanning and Analysis」の第10章「Considerations for NATO in Reconciling Challenges to Shared Cyber Threat Intelligence: A study of Japan, the US and the UK」は、日本、イギリス、アメリカのサイバー脅威インテリジェンス（ＣＴＩ）共有の課題についての章となっている。特に日本に焦点をあてた大変厳しい内容となっており、２年かけて日本国内外の80人の関係者や専門家に取材をしている。

結論として日本政府主導のもとでサイバーインテリジェンスの抜本的な見直しが必要と指摘されている。サイバーインシデント対応機関＝内閣サイバーセキュリティセンターについては、予算が限られており、法的権限も他の機関や省庁と同等ではなく、人員は定期的に入れ替わるため有効に機能しにくくなっており、実施にあたっては各省庁が担当するので機能は限定されているという厳しい評価だった。

ただし、それらの内容は日本国内においてもすでに指摘されてきた問題である。にもかかわらず、それがいまだに改善されておらず、海外とのサイバーセキュリティ情報の共有や連携に支障をきたすまでの問題になっているのは深刻である。

レベル 8【第2問】

フェイスブックが提供している無償のインターネットサービスの名称はどれでしょう？

---

❶ Internet Free

❷ facebook Free

❸ Free Basics

❹ The Net

❸ Free Basics

インターネットがまだ普及していない地域に提供されているもので、対象はグローバル・サウス（アジア、アフリカ、ラテンアメリカ）であり、中でもアフリカでは多くの人々が利用している。

フェイスブックはインターネットがまだ普及していない地域に無償のインターネットサービスFree Basicsを提供している。対象はグローバル・サウス（アジア、アフリカ、ラテンアメリカ）であり、中でもアフリカでは多くの人々が利用している。現在、Free Basicsは世界40カ国で展開しており、その半数以上はアフリカの国々である。

これらの国ではインターネット＝フェイスブックの世界ができているが、自由にさまざまなインターネットを利用できるわけではない。それはフェイスブックおよび関係サービスの利用促進でしかなく、デジタル植民地という批判もある。

レベル2の第5問で明らかにしたようにフェイスブックの利用者の70％以上はグローバル・サウスにいる。そして今後人口の増加や経済の急速な発展が期待されているのもこの地域なのである。

メディア研究誌Media, Culture & Societyに２０２０年4月22日、掲載された「Access granted/ Facebook's free basics in Africa」には詳細なFree Basicsの歴史が解説されている。特に注目すべきなのはフェイスブックがFree Basics普及の戦略を大きく発展させた点である。

２０１０年にフェイスブックは、テキストベースでフェイスブックのみを利用できる無償サービスFacebook Zeroを提供していた。このサービスは２０１２年5月の段階で、アフリカの国々を中心とした45カ国で展開されていたが、グーグルやツイッターなど競合他社も同様の無償サービスを開始した。

本格的な無償インターネットサービスの発端は、2013年8月にフェイスブック創業者でありCEOのマーク・ザッカーバーグが公開したホワイトペーパー「ネット接続は人権か？」だった。この時点で世界の3分の1がネットにつながっており、残る約50億人はネットにアクセスできていなかった。

数日後、フェイスブックはネット接続を普及させるInternet.orgを複数の企業とともに立ち上げた。Internet.orgはその名称からNPOのような団体をイメージさせるが、フェイスブックを中心とした企業による組織で、その目的は、無償ネットサービスを普及させ、そこに利用者を囲い込むことである。

2014年7月にInternet.orgは、アフリカのザンビアのモバイル通信事業者Airtelとともにモバイルに焦点を絞った無償サービスInternet.org appを開始した。そこではフェイスブック、グーグル、ウィキペディア、およびスポンサー企業、政府、NPOなど13のサービスを利用することができた。しかし、自由にインターネットを使えるわけではなく、限定されたサービスにのみ接続できた。

2013年の時点でのフェイスブックの狙いはインドだった。莫大な人口を擁しているにもかかわらずネットに接続できていたのは15%のみ。格好のターゲットだった。2014年10月にマーク・ザッカーバーグはインドの首相に面会し、6つの州でサービスを開始することになった。

しかし、インドの人権活動家やインターネット団体から「フェイスブック中心の箱庭だ」という批判を受け、激しい抗議に遭った。フェイスブックはこの段階で誤解を受けやすいInternet.org appという名称をFree Basicsに変更している。

結局、インドでの抗議は続き、インド電気通信規制庁は2016年2月にFree Basicsを含む無償サービスを禁止せざるを得なくなった。

この失敗からフェイスブックは学び、戦略を転換した。アフリカの市民社会に受け入れられるために、アフリカの実績あるNPO、Praeklt FoundationとともにPraeklt Foundation Incubator for Free Basicsという組織を立ち上げた。この組織を通じてフェイスブックはアフリカのデジタル市民社会との接点を持った。

フェイスブックは同時にWi-Fi hotspotsのサービスを南アフリカに展開し、その後Express Wi-Fi Kenyaをインターネットプロバイダ Surfとともに開始した。こうした活動が現地の起業家を動かし、彼らはExpress Wi-Fiのデータ料金の販売事業を手がけるようになった。そしてその販売の際にFree Basicsをオプションで付けていた。

さらにアフリカのNPOのInternet Societyと共同でIXPs（インターネット相互接続点）を設置、ナイジェリアに光ファイバーを敷設したり、海底ケーブルSimbaを敷設したり、アフリカの代表的ファクトチェック団体であるAfrica Checkをパートナーに迎えるなど、多岐にわたる活動を展開した。

フェイスブックのこれらの活動によってアフリカではFree Basicsが広く普及するにいたった。

普及の背景にはフェイスブックの活動だけではなく、アフリカ固有の問題もあった。アフリカは権威主義の国が多く、言論を統制、監視するため必要に応じてインターネットをシャットダウンしたり、言論弾圧のためのサイバーセキュリティ法を制定したり、SNSの利用に課税したりしていた。そういう状態で苦しんでいた市民団体や抗議団体にフェイスブックは支援の手を差し伸べたのである。

「The Rise and Fall... and Rise Again of Facebook's Free Basics: Civil Society and the Challenge of Resistance to Corporate Connectivity Projects.」（２０２０年４月21日、MIT Global Media Technologies and Cultures Lab）によれば、２０１９年時点で、世界で65カ国、アフリカでは最大で32カ国（２０１９年７月時点では28カ国）がFree Basicsを提供していた。

インドでFree Basicsが禁止された時点で世界の関係者の多くはもう普及しないだろうと考えたが、フェイスブックの戦略転換はアフリカを中心とした普及を促進することとなった。

ちなみにエジプトでもFree Basicsは禁止されたが、その理由はフェイスブックが政府の監視を拒否したためだった。

Free Basicsの利用人口については2016年11月に4000万人、2018年にはほぼ1億人に達していることがわかっているが、それ以後数字は公開されていない。レベル2の第5問で見たようにフェイスブックの利用者は3年間で3・96億人増加している。このうち1億人は欧米での増加によるもので、欧米以外では3・6億人増加している。この3・6億人のうちかなりの部分がFree Basicsの利用者である可能性は否めない。

Free Basicsのサービス内容が閉じて偏ったものであるかについては、グローバル・ボイスによる6カ国のケーススタディがわかりやすい。

なお、前述のようにFree Basicsはデ

ジタル植民地という批判も多く、急激なネットの普及が社会の分断や不安定化を招く側面も懸念されている。

コラム

グーグルやフェイスブックやツイッターは利用者に報酬を支払うべき

常識は変化している。「無料でサービスを使っているのだから、個人情報などを利用されてもしかたがない」という考え方は、サービス提供側に都合よく思い込まされた常識かもしれない。「グーグルは利用者がせっせと個人情報を渡すことで儲けているのだから、利用者に対価を支払うべきだ」と考えることもできる。そこにビジネスが生まれている以上、そちらのほうが適切かもしれない。フェイスブックの決算資料には、利用者1人当たりの売上が書かれている。2020年第4四半期は、全世界では10・14ドル、およそ1000円強だった。ただし、地域によってかなりばらつきがあり、北米（アメリカとカナダ）地域では53・56ドル、約5000円強だった。1年分にすると2万円以上になる。もらえるとうれしい額だ。ただし、日本が含まれるアジア・太平洋地域では4・15ドル、約400円だったので1年分にしてもいささかさびしい。だが、利用頻度や内容あるいは広告表示回数などによって変わるとすれば、一生懸命利用すれば月に数千円から数万円は稼げるかもしれない。売上をそのまま全部利用者に還元できるはずはないので、実際はもっと少ない金額になるだろうが、利用者に売上を還元するのが当たり前になれば還元率の競争が起きてつり上がる可能性もある。

たとえば、昔はグーグルの検索エンジンを自社サイトで使うために、日本のヤフーやビッグローブなどの企業は金を払っていた。その頃は、利用者も「無料でサービスを使っているのだから、個人情報などを利用されてもしかたがない」と考えてよかった。

しかし、今はグーグルが金を支払っている。たとえば、グーグルはｉＰｈｏｎｅのブラウザSafariの標準検索エンジンをグーグルにしてもらうために、アップル社に年間1兆円を支払っているのだ。これはグーグルの広告収入の分配だという。ならば広告収入にもっとも貢献している利用者もアップルと同じように収入の分配をもらってもよいのではないだろうか？　ｉＰｈｏｎｅは世界で10億台普及しているそうなので、1兆円を頭割りして約１０００円もらえる計算だ。毎月の費用が１０００円安くなるのはうれしい。検索エンジンに金を払って利用する時代から、検索エンジンから金をもらって利用する時代に変わっていたのだ。同じことはグーグルが提供するアンドロイドスマホ、グーグルマップを始めとして、あらゆるサービスについても言える。クイズ第2問にあったフェイスブックの無償インターネット接続サービスも同じだ。ＬＩＮＥも利用者に報酬を支払うべきだ。利用することで生まれた利益が還元されるべきだ。

この変化はグーグルやフェイスブックのビジネスが単純に機能を提供するものから、莫大な数の利用者そのものを商品化して売るように変わったためである。より多くの利用者を囲い込めば、より多くの利益を確保でき、市場の地位を安定させられる。そのために金を使う。

以前の機能を提供する時代なら利用者は、「無料で使わせてもらっている」存在だったが、利用者が商品化される時代では、「自分の生活を売る」存在になっている。価値のあるものを提供するのだから対価を求めて当然だ。グーグルやフェイスブックやツイッターあるいは他のネット企業も、利用者に支払うべきだろう。個人が生んだ価値を無償で奪い取るのは奴隷制度と変わらない。

これもまたひとつの見方にしかすぎないが、めまぐるしく変化する時代においては常識を更新することが重要だ。

レベル 8【第3問】

サイバー空間を得意とする、イスラエルの諜報組織の名称はどれでしょう？

---

❶ Unit 8200

❷ DITU

❸ DG7

❹ Unit 61398

❶ Unit 8200

Unit 8200はイスラエル国防軍の組織で、イスラエル参謀本部諜報局の下部組織である。

高いサイバー戦能力を持ち、所属メンバーは数千人。

Unit 8200はイスラエル国防軍（Israel Defense Forces＝IDF）の組織で、イスラエル参謀本部諜報局（Military Intelligence Directorate、Aman）の下部組織である。母体となる組織は以前から存在していたが、Unit 8200として活動を開始したのは第4次中東戦争（1973年）後である。

高いサイバー戦能力を持ち、アメリカとイスラエルがStuxnetと呼ばれるマルウェアを用いてイランの核施設を攻撃した作戦（オリンピック・ゲームズ）に関わったとされている（イスラエルは認めていない）。

所属メンバーは数千人で、情報収集能力は他のイスラエルの諜報機関（モサドなど）を凌駕（りょうが）する。

除隊後に起業し、アメリカのナスダックで上場するなどシリコンバレーで活躍する者も珍しくなく、Check Point Software Technologies、Palo Alto Networks、NSOグループなどは元Unit 8200のメンバーが創業に関わっている。

「イスラエルのNSA（アメリカ国家安全保障局）」と呼ばれることもある世界最強の諜報機関のひとつであるが、活動の全貌はいまだ明らかにはなっていない。

コラム

世界で暗躍するサイバー諜報企業

ネットの普及によってたくさんの新しいビジネスが生まれた。合法と犯罪のグレーゾーンのビジネスも多い。そのひとつがサイバー諜報ビジネスだ。民間企業のすぐれたスパイウェアなどの製品サービスを各国政府が利用しているのだ。主たるターゲットは人権活動家、市民団体、ジャーナリストなどで、言論封殺を目的としている。

2021年7月18日に、ワシントン・ポストやガーディアンを始めとする報道各社とアムネスティの共同調査によって、サイバー諜報企業大手NSOグループの実態が暴かれた。各国政府が同社のマルウェアを購入し、ジャーナリストなどをターゲットにしていたことが暴露され、過去の暗殺事件などの被害者も彼らのターゲットだったことがわかった。

最近注目されているのは、電話番号だけわかればハッキングすることもなく相手の位置を特定し、通話の盗聴、SMS盗聴することまでできるシステムだ。Cyber Technologiesなどが提供している。

現在、知られている主なサイバー諜報企業には次のようなものがある。

●ＮＳＯグループ（イスラエル）
現在もっとも注目されている。傘下にQ Cyber Technologiesを持つもっとも有名なサイバー諜報企業。同社が世界各国に提供したPegasusは言論の抑圧に利用され、メキシコやサウジアラビアではジャーナリストの暗殺にも使われていた。Q Cyber Technologiesの製品サービスは、CirclesとCircles Cloud。前述したように、電話番号だけから相手の位置を特定、通話の盗聴、ＳＭＳ盗聴ができる。少なくとも25カ国で利用されており、グァテマラ、タイなどの国でジャーナリストや人権活動家などをスパイするために用いられている。

●Gamma Group（イギリス）
FinSpyとFinFisherという製品を持つ。世界36カ国に同社のスパイウェアに命令を出すサーバー（C&Cサーバー）が存在していた。日本にも過去に指令管理用C&Cサーバーが存在していたことが確認されたが、目的や主体は不明。

ミャンマーで使われていたことが暴露された。メッセンジャー（Facebook Messenger、Wechat、Skype、ＬＩＮＥなど）の内容を取得でき、iOS版、アンドロイド版があった。

●Memento Labs（旧Hacking Team）（イタリア）

RCSXKRAIT（旧名称Galileo）という製品を持つ。RCSXKRAITは世界規模のRCS（遠隔操作システム）であり、スマホに感染し、位置情報、画像、カレンダー、ソーシャルネットワークの通話やメッセージを盗聴し、サーバーに送信する。RCSXKRAIT用指令管理用C＆Cサーバーは、メキシコ、サウジアラビア、UAEなど21カ国に設置されている疑いがあった。

●BellTroX InfoTech Services（インド）

6カ国数千人に対するフィッシング・キャンペーンを実行した。ターゲットは政府関係者、選挙候補者、金融サービス、製薬会社、ジャーナリストが含まれ、特に地球温暖化やネット中立性をテーマにした市民団体が目立っていた。

レベル8【第4問】

Q

2017年、サウジアラビアのとある施設がサイバー攻撃を受けて停止しました。これ以降、直接的に人間や設備を破壊する可能性を持ったサイバー攻撃が増加しましたが、攻撃を受けた施設は次のどれでしょう？

---

❶ 原子力発電所

❷ ダム

❸ 石油化学プラント

❸石油化学プラント

発電所や工場へのサイバー攻撃は、いわゆる情報漏洩とは異なり、有害ガスの流出や爆発などの事故によって、直接的に設備を破壊したり、人体に被害を与えかねない。

近年、発電所や工場へのサイバー攻撃が増加しており、サウジアラビアの石油化学プラントへの攻撃は、その初期のケースである。狙われたのはプラントの安全計装システム（ＳＩＳ）に使われていたTriconexだった。このシステムを開発したシュナイダー・エレクトリックは世界で最初にＰＬＣ（Programmable Logic Controller）を商品化した企業で、日本でも同社の製品が利用されている。発電所や工場へのサイバー攻撃は、いわゆる情報漏洩とは異なり、有害ガスの流出や爆発などの事故によって人体に被害を与えかねない危険なものであった。

２０１６年12月には、CrashOverRide（Industroyer）というマルウェアを使ったサイバー攻撃によってウクライナで停

電が起きた。2018年にはロシアがアメリカの発電所に対してサイバー攻撃を行い、アメリカが2019年に報復としてロシアの電力網を攻撃する事件も起きており、重要インフラへのサイバー攻撃は珍しくなくなりつつある。

ランサムウェアLockerGogaが、ノルウェーのアルミニウム関連企業（2019年3月）、フランスのエンジニアリング分野のコンサルティング企業Altran Technologies（2019年1月13日）、アメリカの化学企業（2019年3月初旬）を攻撃し、損害を与えるという事件も起きている。

近年ではコロナウイルスに関連した攻撃も多く確認されており、2020年4月8日にアメリカ国家安全保障局（NSA）、国土安全保障省国家保護・プログラム総局、イギリス国家サイバーセキュリティ・センターが共同でアラートを出した。

また、アメリカ最大の石油パイプライン、コロニアル・パイプラインがマルウェアに感染し、5日間操業不能となった事件も起きている。

こうした設備への攻撃は、停電や有害物質の流出など私たちの生活にも大きな影響を与えかねない危険性をはらんでいる。これまでサイバー攻撃によって重要インフラが停止するなどということは、映画や小説の中の話であって、現実にはめったに起きていなかった。しかし、2021年の今日、それらはもはや珍しくない出来事となり、しかも増加し続けている。

レベル8【第5問】

インド政府は12億人以上の世界最大の生体認証システムを持っています。このシステムを構築した日本企業はどれでしょう？

❶ 富士通

❷ NEC

❸ NTTデータ

❹ オムロン

❷ NEC

NEC は世界有数の生体認証、監視システムの技術を持つ企業である。アメリカのアービング市警、ロンドン警視庁、オーストラリア連邦機関、デルタ航空など、70 カ国以上に 1000 を超える認証システムを販売している。

日本国内ではあまり知られていないが、NECは世界有数の生体認証、監視システムの技術を持つ企業である。現在、顔認証システムについてはアマゾンやIBMなど各社が提供を停止している状況だが、NECは提供を継続しているため存在感が増している。アメリカのアービング市警、ロンドン警視庁、オーストラリア連邦機関、デルタ航空など、70カ国以上に1000を超える認証システムを販売している。カーネギー国際平和財団のレポート「The Global Expansion of AI Surveillance」でも世界的なAI監視システムの提供事業社として中国企業やアメリカ企業とともにNECが掲載されている。

インドの国民IDシステムAadhaar

（日本のマイナンバーのようなもの）には、さまざまなデータが紐付けされている。２００９年に始まったこのシステムは12億人以上の生体データを持つ世界最大の生体認証システムであり、顔、両目の虹彩、両手全指の指紋を登録した高精度マルチモーダル生体認証となっている。これを提供しているのが日本のＮＥＣである。

２０２０年２月19日のフォーリン・アフェアーズ誌の「India's Growing Surveillance State」によれば、Aadhaarは納税や福祉給付金の受け取りに必須になっており、広く普及している。しかし、その一方で問題もある。たとえば特定の州の有権者の投票権を取り上げたり、個人を特定して権利を剝奪することもデータベースを操作するだけで可能となっている。民間企業がAadhaarを利用することも許可されており、プライバシーへの脅威となりかねない。

インドは世界有数のデジタル権威主義国家であり、さらに広範かつリアルタイムの監視システムの導入を検討していることが報じられている。転居、転職、不動産購入、家族の増減、結婚などの情報がリアルタイムで更新され、さらに宗教、カースト、収入、財産、教育、婚姻、雇用、障害、家系図データなど個人に関わるあらゆるデータを統合したシステムになる予定だ。加えて各戸にジオタグをつけ、インド宇宙研究機関（ＩＳＲＯ）のシステムと統合することも視野に入れているという。

レベル9

人々の意見は「操作」されている……⁉
SNSや世論操作について、知っていますか？

レベル9【第1問】

アメリカの選挙で初めてボット（プログラムで自動的にSNSに投稿やリツイートなどを行うアカウント）が使われた年を選んでください。

❶ 2010年

❷ 2013年

❸ 2014年

❹ 2016年

❶ 2010年

2010年のアメリカ、アイオワ州の特別選挙において、保守グループが民主党の候補者を攻撃するために用いたのが世界初と言われている。

ボットは世界各国の選挙で使われるようになっており、現在では特段珍しいものではなくなっている。ネット世論操作研究の世界的権威であるサミュエル・ウーリィによれば２０１０年のアメリカ、アイオワ州の特別選挙において、保守グループAmerican Future Fundが世界で初めてボットを用いて民主党の候補者を攻撃した。ネット世論操作というとロシアが有名だが、実はアメリカもかなり進んでいる。ただ、大きく報道されることがないだけである。

ロシアはアメリカの手法を研究している節がある。その一方で、アメリカもロシアの最新の手法を真似（まね）している部分もある。そして両国が行っているネット世論操作は近年、他の国々でも真似されることになり、世界に拡散している。

アメリカで本格的なネット世論操作についての研究が行われたのは２０１１年。ＤＡＲＰＡ（ダーパ）（国防高等研究計画局）がおよそ50億円を投じて行ったSocial Media in Strategic Communication（ＳＭＩＳＣ）programが最初で、防御と攻撃の両方を研究対象としていた。

その後、アメリカ国防総省が国内に向けてテロリストへの反感を煽（あお）り、政府に批判的なジャーナリストを攻撃するためのキャンペーンなどを仕掛けていたことがわかっている。

２０１１年にはCenter for Strategic Counterterrorism Communications（ＣＳＣ

C）が国務省、国防総省、国土安全保障省および同盟国のツイッターアカウント350以上を管理し、ジハード主義者および過激派が仕掛けてくるツイッター上のネット世論操作に対抗していた。

YouTubeでもISISと議論し、ISIS支配下の地域を荒廃した地獄のように見せた動画を投稿した。これらの活動は、アメリカ中央軍がアルカイダ、タリバンおよびジハード主義者をターゲットにした心理作戦Operation Earnest Voiceと連携して実施された。

メッセージを拡散するサイト（crowdspeaking サイト）Thunderclapが2012年に誕生し、続いて同種のサービスDaycauseが運用を開始した。これらは政府にも利用され、国内に対して水質浄化法のキャンペーンやHIV検査などの政策を支持するよう誘導するためにも用いられた。

レベル9【第2問】

アメリカ大統領選でSNSを本格的に利用した最初の政治家は誰でしょう？

❶ ドナルド・トランプ

❷ ヒラリー・クリントン

❸ バラク・オバマ

❹ アル・ゴア

❸バラク・オバマ

2016年のアメリカ大統領選では、キャンペーン用ウェブサイトとSNSから収集された2億5000万人以上のアメリカ国民の情報をもとに、データサイエンティストが住所、人種、性別、収入を分析して浮動票の有権者を特定し、アプローチしていた。

大統領選で本格的にSNSを活用したのはオバマだった。2004年に共和党のジョージ・ブッシュが用いたマイクロ・ターゲティングという手法を民主党のオバマはさらに発展させ、SNSも本格的に利用した。

　キャンペーン用ウェブサイトとSNSから収集された2億5000万人以上のアメリカ国民の情報をもとに、データサイエンティストが住所、人種、性別、収入を分析し、オバマに投票するよう説得する必要がある浮動票の有権者を特定し、アプローチしていた。

　この選挙キャンペーンにグーグルは密接に関わっていたと言われている。当時グーグルのCEOだったエリック・シュミットはオバマと親しく、Fortune 誌は

ふたりの関係を「恋愛関係」とまで表現したほどだった。

実はオバマ政権下においてSNS企業は政権ときわめて緊密な関係を持つようになった。ショシャナ・ズボフの『監視資本主義』によれば、オバマ政権で国防総省とIT企業の関係強化のために発足した国防革新諮問委員会の理事に当時のグーグルCEOシュミットが就任し、理事会メンバーの人選をまかされた。また、2004年グーグルは衛星地図作製会社キーホール社を買収したが、同社にはCIAが関与しており、その後キーホールはグーグルマップを作成した。

レベル 9【第3問】

世界各地でネット世論操作を請け負っていた
イスラエルの企業の名称はどれでしょう？

---

❶ アルキメデス

❷ ソクラテス

❸ アリストテレス

❶アルキメデス

少なくとも世界13カ国で活動が確認されている。アルキメデスグループには思想的な背景があるわけではなく、経済的な利益のために依頼を受けてネット世論操作を実行しているという。

イスラエルのネット世論操作企業アルキメデスは国際的に事業を展開しており、ナイジェリア、セネガル、トーゴ、アンゴラ、ニジェール、チュニジア、マリ、ガーナといったアフリカの国々、ラテンアメリカ、東南アジアなど、少なくとも13カ国で活動が確認されている。

２０１９年5月16日には、その活動がフェイスブックに検知されて、フェイスブックとインスタグラムに存在した、合計２６５のアカウントとページが削除された。翌日にはＡＰ通信社がデジタル・フォレンジック・リサーチ・ラボのコメントとあわせてこのことを伝えた。

削除対象となったアカウントは現地の人間あるいは地方新聞を名乗っていたが、ウソだった。これらのアカウントは政治家からのリークだというフェイクニュースなどを広めていた。

アルキメデスの手法は、まずその国の地方新聞やファクトチェック組織に見せかけたサイトを作り、政治家に関するリーク情報を掲載し、地元の政治家を支援もしくは攻撃するというものだった。これらのページは見かけ上、地元で作ったような体裁をとっていたが、実際は国外で運営されていた。また、こうしたページにアクセスを誘導するために９０００万円をかけてフェイスブックに広告を出稿していた。

デジタル・フォレンジック・リサーチ・ラボは独自のレポート「Inauthentic Israeli

Facebook Assets Target the World」を公開し（事前にフェイスブックから連絡を受けていた）、アルキメデスグループの活動の実態を暴露した。そのレポートによると、マリでは地元学生が運営する「C'est faux-les fake news du Mali」（それはフェイクだ――マリのフェイクニュース）というフェイクニュースを告発するサイトを装ったフェイクニュースサイトも作っていたが、実際の運営者はセネガルとポルトガルにいた。「Ghana 24」というガーナのニュースサイトを模したプロパガンダサイトを作った際には、イスラエルとイギリスのアカウントによって運営していた。

アルキメデスはネット世論操作対象国で運営されているように装ったページを作っていたが、実際には国外（イスラエル、イギリス、ポルトガルなど）で運営されていた。デジタル・フォレンジック・リサーチ・ラボのレポートによれば、アルキメデスグループには思想的な背景があるのではなく、経済的な利益が狙いで、特定の政権、政治家、政党から金で依頼を受けてネット世論操作を実行しているという。

コラム

ネット世論操作代行会社は大繁盛

ネット世論操作の新しい動きとして、ネット世論操作代行企業への委託が増加している。外部の民間企業を使うことで、世論操作を仕掛けている主体を隠すことができる効果もあるという。たとえばイスラエルのネット世論操作代行会社アルキメデスグループは、中央・北アフリカ、ラテンアメリカ、東南アジアの国々を対象に影響力行使キャンペーンを行い、フェイスブックにネットワークを削除された。しかし同社のクライアントにつながる証拠は発見できなかった。アルキメデスグループは、政府関係者の関与を効果的に隠していたと調査資料では指摘している。

２０１９年12月には、ツイッター社がサウジアラビアのネット世論操作代行会社Smaatが運営する８万８０００のアカウントを削除した。Smaatのクライアントの一部は同社のウェブで公開されており、コカ・コーラやトヨタなどの企業のほか、サウジアラビア民間防衛総局やその他の政府部門があった。Smaatは、フェイクアカウントやボットを使って、企業クライアントのブランドを宣伝し、サウジアラビアのジャーナリスト、ジャマル・カショギの殺害における同国の役割を否定し、カタールとイランの政府を攻撃する政治的なコンテンツを拡散していた。
ニューヨーク・タイムズの記事では、Fazze社（フランス、ドイツ、ブラジル、インドでファイザー社のワクチンの信頼を貶める（おとし）キャンペーンを実施）、CLS Strategies社（ボリビア、ベネズエラ、メキシコで右派政権を支持するデマを流布）、Press Monitor社（インドでファクトチェックを装ってモディ首相に都合の悪い報道を批判）などのネット世論操作代行会社が紹介されていた。

これらのほかに、インドの与党やエジプトの外交政策やボリビアやベネズエラの政治家を宣伝する同様のキャンペーン、ブラジルのセッラ市市長選キャンペーン、複数の競合政党を支援していたウクライナのネット世論操作代行会社、中央アフリカ共和国でふたつの組織がそれぞれ独立して行った親フランス派と親ロシア派に対する偽情報キャンペーン、イラクの反米キャンペーンを行ったPR会社といった事例も報告されている。またGraphika社によると「Spamouflage」というネットワークが発信した親中国メッセージが、パナマの大手メディア、パキスタンやチリの著名な政治家、中国語のYouTubeページ、イギリスの左派コメンテーター、ジョージ・ギャロウェイ、中国の外交関係者のアカウントなどによって拡散されている。同じ現象は台湾でも見られたという。

こうしたネット世論操作代行企業の特徴は、安価で手軽であることだが、その一方で依頼したあとで予算よりも高い費用を請求されたり、仕事が実行されないリスクもあるという。

ネット世論操作代行会社が新しく誕生している理由は、「SNS上で容易に事業を開始できる＝SNSプラットフォームの規制がざる」、「儲かる＝求める客がいる」ということである。

これらのネット世論操作代行会社の活動は、社会における情報の信頼性を著しく毀損する可能性が高い。安価であることから、多数のネット世論操作代行会社に依頼を出し、その後、ネット世論操作代行会社の活動を暴露する情報を報道機関にリークすればネット世論操作への不安を煽り、情報への不信感を増大させることができる。これをパーセプション・ハッキングという。ネット世論操作が失敗しても、あるいはしていなくても、影響工作が行われているという不安を煽ることはできるのだ。

さまざまな面で、ネット世論操作代行会社の台頭は情報空間を危険にさらすことになる。

レベル9【第4問】

Q

ロシアのネット世論操作部隊の名称は
どれでしょう？

---

❶ ロシア連邦軍参謀本部情報総局（GRU）

❷ インターネット・リサーチ・エージェンシー（IRA）

❸ ロシア対外情報庁（SVR）

❷ インターネット・リサーチ・エージェンシー（IRA）

さまざまな方法を駆使して混乱と分断を相手国に与えようとしており、2016年のアメリカ大統領選を始めとして、ヨーロッパ各地の選挙などに干渉したと言われている。

ロシアがネットの世論操作を行っていることはよく知られており、インターネット・リサーチ・エージェンシー（ＩＲＡ）はその中心となる機関である。ニューヨーク・タイムズの「The Agency」という記事によれば、数百人規模でツイッターやフェイスブックなどにコメントを投稿する人々がおり、目的に応じて異なる人物になりすましていた。

ＩＲＡは２０１６年のアメリカ大統領選においても干渉工作を行っていたことがわかっており、２０１８年2月18日に企業および個人に対して起訴状も提出されている。起訴された企業は、ＩＲＡ、CONCORD MANAGEMENT AND CONSULTING LLC、CONCORD CATERING の3社で、CONCORD MANAGEMENT AND CONSULTING LLCとCONCORD CATERINGは個人で起訴されたエフゲニー・プリゴジンの会社であり、ＩＲＡに資金を提供していた。

２０１８年12月、ＩＲＡがＳＮＳで行っていた世論操作について、より詳細なレポートが公開された。ＳＮＳ各社（フェイスブック、インスタグラム、ツイッター、グーグル関連会社など）から提供されたデータをサイバーセキュリティ企業New Knowledge社と、オクスフォード大学のネット世論操作プロジェクト（The Computational Propaganda Project）が分析し、アメリカ上院情報特別委員会（The Senate Intelligence Committee）にレポートを提出した。このレポートは主要ＳＮＳプラットフォーム企業がデータを提供したことから従来よりも広範かつ緻密な分析結果となっている。

New Knowledge社のレポートの大半はロシアのネット世論操作戦術に焦点を当てており、オクスフォード大学のレポートはSNSプラットフォームごとの統計的な解析を中心に構成されている。それらは相互に補完するような内容となっている。

また、2020年8月18日、アメリカ上院情報特別委員会に2016年の大統領選におけるロシアの干渉についての最終報告書が提出された。アメリカではまだロシアのネット世論操作の全貌を解明できていないのである。5巻（プラス資料）構成で千数百ページにおよぶ詳細なもので、アメリカの選挙システムへのロシアのサイバー攻撃およびトランプ陣営とロシア当局の裏のつながりについて調査、検証したものとなっている。

レベル 9【第5問】

Q

ロシアのネット世論操作部隊が用いている
ネット世論操作の手法ではないものを
選んでください。

---

❶ メディア・ミラージュ

❷ 相手国の住人＝ホームグロウンの活用

❸ Tシャツのオンライン販売

❹ 相手国大手メディアの買収

❹ 相手国大手メディアの買収

IRAはSNSの活用を始め、現地に協力者をつくるなど、多彩な手段を駆使してネット世論を操作している。

ロシアのネット世論操作部隊インターネット・リサーチ・エージェンシー（ＩＲＡ）は多彩な手法を駆使している。２０１６年のアメリカ大統領選では４７０のフェイスブックアカウントを運用して、８万ページを作り、１億２６００万のアメリカ人に閲覧されたという。ツイッターでは３万６０００以上のボットがアメリカ大統領選についてつぶやき、13万回ツイートされ、推定２億２８００万インプレッションがあった。ツイッター社によると３８４１のアカウントがＩＲＡによって操作されていた。

　これらのアカウントの発言はさらに一般のメディアにも取り上げられ、そのメッセージを拡散していた。ＮＢＣニュースによると、アメリカ政府関係者やメデ

ィア関係者など40人の著名人がこれらのアカウントのメッセージを拡散していたという。そしてアメリカ大統領選挙期間中、3000を超すメディアに取り上げられ、1万1000以上の記事で引用された。

IRAはデジタルマーケティング手法＝マイクロターゲティング広告を駆使していた。黒人、保守、リベラルを主なターゲットとし、性別、年齢別、地域別でも細かくコンテンツや訴求ポイントを変えていた。

また、SNSプラットフォームごとに仕掛けるタイミングやピーク、内容やターゲットも変えていた。

訴求ポイントは大きく分けて、トランプ支持、反ヒラリー、選挙妨害の3つだった。選挙妨害には2種類あり、反トランプあるいはヒラリー支持者に対して「選挙なんて意味がない」と訴えてボイコットさせるものと、投票方法や投票場所などの間違った情報を流して投票できなくさせようとするものだった。

メディア・ミラージュとは、ウェブサイトと各種SNSプラットフォームを連動させ、存在しないニセのブランドなどを露出させて信憑性(しんぴょうせい)を高めるやり方である。

現地の協力者＝ホームグロウンのリクルーティングも行っていた。言論の自由の問題にも関わってくるので、アメリカに住むアメリカ人が、法に触れない範囲でIRAの主張を広めることを止めるのは簡単なことではない。

コラム

ネット世論操作は国内向けが多い

ネット世論操作というとロシアがアメリカ大統領選に干渉したことを思い出す方も多いだろう。そのため、外国から自国に対して行われるイメージを持っているかもしれない。しかし実際には、自国の国民に対して行うほうが多いのである。正確に言うと、国の数では国内向けのネット世論操作が多く、件数では海外向けが多い。つまりほとんどのネット世論操作は国内向けに行われており、ロシアなど少数の国が海外に対して多数のネット世論操作を行っている。

昨年、プリンストン大学が公開した資料によって、数字でそのことが確認された。この資料は、９２０件以上のメディア報道と３８０件以上の研究論文・報告書をもとに２０１３年から２０１９年にかけての影響力行使（Influence Efforts）を特定し、30カ国を対象とした76件の「外国からの影響力行使」（ＦＩＥ）と、政府が自国民を対象とした20件の「国内への影響力行使」（ＤＩＥ）に関するデータをまとめたものである。

「外国からの影響力行使」でもっともターゲットとなっていたのはアメリカで、全体の4分の1以上を占めていた。また、外国へ影響力を行使していた国では圧倒的にロシアが多かった。

もっともよく使われていた戦術は、「説得（Persuasion）」で一般市民を誘導しようとしていた。人や組織の評判を落とそうとする「誹謗中傷（Defamation）」が次いで多かった。

戦術の組み合わせも多く、誹謗中傷と説得の組み合わせが最もよく使われており、続いて制度の弱体化、政治的アジェンダの転換、となっている。

いずれの戦術も、国内向けで使われることのほうが外国向けで使われるよりも多かった。

新しい動きとしては次の4つをあげている。

●マーケティング会社へのアウトソーシング（ネット世論操作代行会社の利用）の増加

●国境を越えたキャンペーン（同時に複数の国をターゲットに影響力を行使する）の増加

●アフリカをターゲットにした「外国からの影響力行使」の増加

●「国内への影響力行使」の広範な使用（外国の政治に干渉した国は6カ国であるのに対し、「国内への影響力行使」を行った国は18カ国と多い）

レベル 10

近年叫ばれる、「民主主義の危機」。
いったいどういうことなのでしょう?

レベル10【第1問】

イギリスのボリス・ジョンソン首相が
提唱している民主主義国のグループの
名称はどれでしょう？

❶ 自由で開かれたインド太平洋構想

❷ デモクラシー10=D10

❸ テクノロジー10=T10（あるいはT12）

❹ 東アジア地域包括的経済連携（RCEP）

A

❷ デモクラシー10=D10

Ｇ７にインド、オーストラリア、韓国の３カ国を加えたもの。

２０２０年12月15日のThe Guardian紙の「Boris Johnson to visit India in January in bid to transform G7」によると、イギリスのボリス・ジョンソン首相はＧ７（アメリカ、イギリス、フランス、ドイツ、日本、イタリア、カナダ）に３カ国（インド、オーストラリア、韓国）を加えた10カ国によるデモクラシー10（Ｄ10）を提唱しようとしている、とある。

以前から、ボリス・ジョンソンはＧ７とは別にＤ10を組織しようと考えていた。その頃、トランプ大統領がロシアをＧ７に加えることを提案していた。しかしＧ７の拡張版であるＧ20はすでにロシアと中国が加わったことで混沌としていたことから、Ｄ10が同じ状況になることを恐

れたのではないかと前述の報道から半年前の2020年6月10日の Foreign Policy 誌は指摘している。

しかし、その後トランプ大統領が選挙で敗北し続投がなくなったことでG7の拡張に方向転換したと思われる。

「自由で開かれたインド太平洋構想」はアメリカが中心となって推進している構想で、アメリカに加え日本、インド、オーストラリアなどが参加する見込みである。構想はアフリカまで広がる壮大なもので、中国の一帯一路を彷彿させる。ASEAN(東南アジア諸国連合)は独自のインド太平洋構想を採択しているが、「自由で開かれたインド太平洋構想」および一帯一路との協力を模索するという立場を取っている。

テクノロジー10(T10あるいはT12)は、デモクラシー10をベースに技術分野を拡張したもので、アメリカのジョー・バイデン大統領のスタッフが構想したものである。中国の技術分野での台頭に対抗するための連合だが、カバーしている範囲が広いうえ、参加国の利害調整が難しいこと、デモクラシー10のメンバーを中心とした10カ国あるいは12カ国だけでは不十分という指摘もある。

東アジア地域包括的経済連携(RCEP)は15カ国が参加する世界最大の自由貿易圏である。中心となるのは中国、日本、韓国、オーストラリアで、ほかにニュージーランドや東南アジア諸国が参加している。世界最大とはいえ、中国のGDPが残りのすべての国のGDPの合計に近く、中国主導になることが予想されている。当初はインドも参加する予定であったが、途中で頓挫した。

注意すべきは2020年11月15日にRCEPが署名された点である。逆算すると、RCEPの数カ国（日本、オーストラリアなど）は香港への弾圧と人権侵害で中国を非難しつつ、同時にRCEPの交渉を続けてきたことになる。ここからも加盟国にとって中国は経済上必要不可欠な存在となっていることがうかがえる。

レベル10【第2問】

2020年12月、中国当局への情報提供などの疑いでアメリカのオンラインサービス企業の幹部が訴追されました。
このサービスは次のどれでしょう？

❶ オンライン会議システムZoom

❷ ツイッター

❸ YouTube

❶ オンライン会議システムZoom

Zoomはシリコンバレーの企業だが、開発拠点が中国にあり、従業員にも中国人が多かった。このことから、Zoomは「アメリカの顔をした中国企業(A US Company with a Chinese Heart)」と呼ばれていた。

コロナ禍によって日本でもリモートワークが広がった。出社せずに自宅からオンラインで仕事をする新しいワークスタイルが多くの企業で当たり前になった。これにともない会議もオンラインで行われることが増え、そのおかげでオンライン会議システムZoomは一挙に普及した。

しかし、アメリカではZoomには中国に内容を見られているという深刻な懸念が2020年4月の段階で指摘されており、その後2020年12月に幹部社員が訴追された。中国当局の指示を受けてZoomの会議の内容を検閲し、会議を中断したり、利用者のIDを利用停止にしたというものだ。日本でも報道されたが、あまり注目されなかったようだ。

Zoomそのものはシリコンバレーの企業だが、開発拠点が中国にあり、従業員にも中国人が多かった。このことから、Zoomは「アメリカの顔をした中国企業（A US Company with a Chinese Heart)」と呼ばれていた。

コラム

アメリカの顔をした中国企業　Zoomとクラブハウスの問題

●日本ではあまり注目されなかったZoom問題

２０２０年12月にオンライン会議サービスで有名なZoomの幹部が訴追された。実は起訴の半年以上前に、Zoomの危険性を指摘したレポートがすでに公開されており、会議の内容が中国当局に漏れている可能性はわかっていた。

このレポートはアメリカでも深刻に受け止められ、さまざまなニュースで取り上げられた。さらにその後、国土安全保障省からのZoomの安全性の警告、深刻な脆弱性の発見、50万件の利用者の個人情報が販売されていたことの暴露、グーグルが従業員にZoomの使用をやめるよう通知するなど、さまざまな出来事が続いた。台湾政府はZoomをいち早く禁止した。

こうした一連の問題の後での訴追だったので、ある程度予想された結末だったとも言える。しかし、Zoom事件の問題は根が深い。最初にZoomの問題を発見したCitizenLabはそのレポートの中でZoomを「アメリカの顔をした中国企業（A US Company with a Chinese Heart)」と呼んでいた。Zoomはアメリカのシリコンバレーの企業であるが、開発拠点を中国に置き、従業員も中国人が多いため、こういう呼び方をしたのだ。

ちなみに日本のサイバーセキュリティ関係者からは、この訴追までZoomの危険性についての声はなかった。その後もあまり見かけていない。

●Zoomより深刻なクラブハウス問題

最近注目されている音声SNSクラブハウス（開発会社はAlpha Exploration）にも「アメリカの顔をした中国企業」の影がある。クラブハウスは音声通話でAgoraというシリコンバレーの企業のシステムを利用している。Agoraは音声通話処理に特化したサービスを提供しており、クラブハウス以外にもいくつもの企業が同社のサービスを利用している。Agoraのサービスを利用することで、中核となる音声通話処理を自前で開発したり、インフラを維持したりする必要がなくなる。これまでもAgoraとクラブハウスの関係については取り沙汰されていたが、それを検証したレポートが最近公開され、Agoraを利用していることで情報漏洩の可能性があることがわかった。

Agoraは上海に拠点を持っているため、中国の国家情報法によって政府から要求があれば保有する情報を提供する義務を負っている。Agoraがクラブハウスの会話も傍受、保存していたとすれば、それは中国政府の手に渡っている可能性がある。特に平文でやりとりしているクラブハウスのＩＤを含むメタデータは、中国内のサーバーを介しているので中国当局は簡単に傍受できる。

クラブハウスはドイツではデータ保護の問題で訴えられており、これから同社およびその後ろにいるAgoraの真実が明らかにされてゆくだろう。

Zoomやクラブハウスは氷山の一角にすぎない。今後も「アメリカの顔をした中国企業」は増加してゆくだろう。

レベル10【第3問】

インドの現在の状況にあてはまるものを選んでください。

---

❶ 民主主義および資本主義の模範となっており、民主主義指数で「完全な民主主義」に分類されている

❷ 民主主義指数でロシアや中国と同じ「権威主義国家」に分類されている

❸ 近年、権威主義化が進んでおり、現在は民主主義指数で「瑕疵のある民主主義」に分類されている

❸ 近年、権威主義化が進んでおり、現在は民主主義指数で「瑕疵のある民主主義」に分類されている

近年のインドは権威主義化が進んでおり、国民監視などの仕組みが導入されているほか、ジャーナリストも危険にさらされている。

インドは近年、権威主義化が進んでいる。2009年から始まった12億人以上の生体データを持つ世界最大の生体認証システムを含む国民監視システムAadhaarは、納税や福祉給付金の受け取りに必須になっている。さらに特定の州の有権者の投票権を取り上げたり、個人を特定して権利を剝奪することもデータベースを操作するだけで可能となっている。このようにインド政府はAadhaarを利用した監視強化を進めようとしている。

2019年後半、インド内務省のNational Crime Records Bureau（NCRB）は世界最大級の大規模な監視システムの導入を発表した。インドは深刻な警官不足が続いており、犯罪捜査に支障をきたしているが、このシステムで問題を解消する計画だ。データはインド国内で共有され、データベースは監視カメラだけでなく、SNSの投稿や新聞記事など一般公開されている画像、パスポート、犯罪記録などとも連携する予定になっている。このシステムは1万6000の警察署、7000の庁舎、およびモバイルアプリで使用される見込みだ。

インドでは2019年1月から10月にかけてジャーナリストや人権活動家がメールからマルウェアNetWireに感染した。ターゲットになった9人のうち3人は以前、Pegasus（イスラエルのサイバー軍需企業NSOグループが提供しているマルウェア）のターゲットにもなっていた。

民主主義の再生は、アメリカの政策の変化が原因

しばらく前からさまざまなところで、「民主主義の危機」が叫ばれている。しかし、具体的にどういうことなのだろうか。まず、歴史的な流れを見てみよう。さまざまな資料（具体的な資料名は、「まえがき」に記載したURLを参照）を整理すると、民主主義が世界の主流となっていたのは1980年代半ばからの16年くらいで、2006年ごろから衰退がはじまったことがわかる。

そもそも1980年代半ばまで、世界の多数の国が民主主義になるとは誰も予想していなかった。民主主義が理想的なものとは考えられていなかった。その後、主としてアメリカの成功から民主主義が評価され、2000年代までアメリカの外交政策を中心にして世界各国で民主化が進み、2006年が民主主義のピークとなった。その後、アメリカの外交政策が変化し民主主義の後退が始まった。後退は加速しており、コロナによってさらに早まっている。

民主主義はそれほど長く世界の主流だったわけではなかった。民主主義全盛期に生まれ、教育を受けた世代は、民主主義こそ世界の標準で守るべき価値があると考

えがちだが、それほど長く続いている価値観ではない。

現在、言われている「民主主義の危機」とは、つまりアメリカの変化のことのようだ。後退の大きな原因のひとつがアメリカの外交政策の変化にあったこともあり、アメリカの民主主義の再生と対中国政策を中心とする民主主義再生策が提案されることが多い。

レベル10【第4問】

Q

監視資本主義の本来の意味に該当するものを選んでください。

---

❶ SNS依存症に陥らせることで利益を得る

❷ 人間の行動を原材料に、人間の未来の行動を予測して商品化する

❸ 顔認証システムなど監視技術が作る監視市場

❷ 人間の行動を原材料に、人間の未来の行動を予測して商品化する

SNS企業は、利用者のプロフィールや行動のデータをもとに効果的な広告を提供し、利用者の行動を誘導している。

監視資本主義という言葉はNetflixのドキュメンタリーで一気に有名になった。しかし、Netflixのドキュメンタリー『監視資本主義　デジタル社会がもたらす光と影』はそのごく一部を紹介したにすぎない。

監視資本主義とは、人間の行動を原材料に、未来の行動を予測して商品化する仕組みだ。利用者の行動は監視され、分析され、予測される。SNS企業は利用者のプロフィールや行動（どの投稿を読んだか、誰をフォローしているか、どのリンクをクリックしたかなど）の詳細をデータとして蓄積し、次の行動を予測することで効果的な広告をスポンサーに提供できるようになる。

原材料はタダである。サーバーなど原材料を収集するためのコストはかかるが、原材料の対価として支払われるものではない。牛肉をタダで仕入れられるステーキ屋のようなものだ。それどころか、哲学者マルクス・ガブリエルは、利用者が使った結果でグーグルが収入を得るなら利用者は労働者なのだからグーグルは賃金を支払うべきだ、とまで言っている。

人間の未来の行動はオンライン広告として商品化され、急速に市場を拡大した。当初、インターネットは自由な空間であり、法制度の縛りがほとんどなかったため、グーグルやフェイスブックなどの監視資本主義企業は自由に事業を展開することができた。

監視資本主義企業は莫大な量のデータを集積し、利用者の行動（発言、いいね！、フォロー、クリック、閲覧時間など）はもちろん、利用者と同じような生活環境、過去の経験、能力、収入、性格、嗜好を持つ人物の情報も蓄積しており、そこから生まれる予測や選択肢（レコメンデーション）は正確だ。さらに、より正確な予測を行うため、より多くの情報を集めるとともに利用者の行動を誘導している。その結果、SNS依存症などの弊害が生まれた。

監視資本主義は、さまざまな産業（保険、自動車など）にも広がっている。人間の過去の行動のデータを持ち、未来の行動を予測できるのだから当然だ。利用者個々人だけでなく、国レベルでの予測も可能になった。たとえば6億人の利用者を持つ中国のBaiduは、そのデータを解析して、失業率や消費指数などの経済指標を予測できると語った。

監視資本主義下で、Pokémon GOはポケモンが出てくる場所に人々を誘導し（一部の人は、罪の意識もなく他人の家の庭に入り込むなど犯罪まで行った）、ロボット掃除機ルンバは掃除を通じて収集した利用者の家の見取り図を作製して商品化する予定で、スマートテレビは視聴内容をリアルタイムで記録する（ゲームやＤＶＤ、スカイプなどの視聴も記録できる）。人がテレビを見ている以上にテレビは人を観察しているのだ。24時間健康状態をモニターするウェアラブル機器はその典型だ。

街全体をＩＴ化するスマートホームやスマートシティでは、住人は24時間包括的な監視システムのもとにおかれ、個々人の行動から経済活動までを監視し、予測し、監視資本主義企業と自治体の利益を最大化するための最適な運営を行う。ＳＮＳを使っていない人間も生きているだけで監視資本主義に組み込まれる。

監視資本主義は法規制がほとんどないことをいいことに発展してきた。現在、ＥＵを始めとする各国が法整備を行っている。

レベル10【第5問】

監視資本主義という言葉を最初に
使った人を選んでください。

---

❶ オクスフォード大学のThe Computational Propaganda Projectリサーチ・ディレクターのサミュエル・ウーリィ

❷ ハーバード・ビジネス・スクール名誉教授のショシャナ・ズボフ

❸ 元ケンブリッジ・アナリティカメンバーのクリストファー・ワイリー

❷ハーバード・ビジネス・スクール名誉教授のショシャナ・ズボフ

2019年1月に刊行された著書『The Age of Surveillance Capitalism: The Fight for a Human Future at the New Frontier of Power』(『監視資本主義』)の中で初めて使用された。

監視資本主義は、ハーバード・ビジネス・スクール名誉教授のショシャナ・ズボフが最初に使った言葉である。彼女は『The Age of Surveillance Capitalism: The Fight for a Human Future at the New Frontier of Power』(Public Affairs、2019年)という本にその詳細をまとめた。なお、Netflixのドキュメンタリー『監視資本主義』にも彼女は出演している。

本書はネットの過去から現在まで幅広い話題を網羅し、まとめた、700ページを超える大著である。そのあまりにも多い情報量のため、本書あるいは監視資本主義について触れている記事は、それぞれ微妙に異なっている。つまりどこをどう紹介するかでだいぶ印象が変わって

くるのだ。

貴重で示唆に富む本だが、理解するためにはマルクス、ウェーバー、ピケティ、エリクソン、B・F・スキナー、ハイエク、ハンナ・アーレントなどの幅広い分野の知識を持ち、理解していることが前提になる。特にマルクスの影響が色濃く出ており、いくつかの用語にもそれが表れている。本書には独自の用語がたくさん登場し、それもまた本書を難解なものにしている。

ただし、本書ではネット世論操作についてはあまり言及されていない。相次いで発売された『The Reality Game』（オクスフォード大学の The Computational Propaganda Project のリサーチ・ディレクターでデジタルプロパガンダの研究者であるサミュエル・ウーリィの著作。Public Affairs、2020年）や『Mindf*ck: Inside Cambridge Analytica's Plot to Break the World』（元ケンブリッジ・アナリティカメンバーのクリストファー・ワイリーによる暴露本。Random House、2019年）をあわせて読むと、監視資本主義がどのように世論に影響を与えているかを知ることができる。そして3冊の本はそれぞれ現状が改善される可能性に期待し、そのための対策を提案している。

コラム

世界の三大国、アメリカ、中国、インドで進む「閉鎖経済」化

２０３０年に世界のＧＤＰトップ3となるアメリカ、中国、インドの三大国に共通する要素として自給自足や閉鎖経済があげられる。グローバリゼーションと相反するように思えるが、この3カ国は近年、その傾向を強めている。

この3カ国は世界の中でも人口が多く、世界のＧＤＰのおよそ60％を占めている。他の主要国と異なり、最近10年間ＧＤＰを増加させ、貿易収支を改善している一方で、海外への経済依存は減少している。アメリカ新大統領バイデンの方針を見る限り、今後もこの傾向は続くと考えられる。

中国にとって経済的自立は目標のひとつだった。過去に何度も他国に蹂躙（じゅうりん）され、搾取された過去を持つ。そこから自立の道に進んだ。

インドは１７００年代には世界のＧＤＰの4分の１を占めていたが、その後イギリスによって搾取され、産業基盤を毀損された。１９４７年の独立後、自立の道を進み、２０１４年に首相となったモディはアメリカと中国の技術や投資を利用して、新しい閉鎖経済化を進めている。

近年の閉鎖経済化の進展には、安全保障上の理由が大きい。アメリカは台頭する中国の経済と技術を抑え込むために知財管理を強化し、中国を排除したサプライチェーンを作ろうとしている。安全保障を脅かす可能性のある中国製品が、インターネットの基盤に食い込むのを阻止するためだ。

中国は各種施策で自前の技術による閉鎖経済を目指している。すでにいくつかの分野ではアメリカをしのぎ、残る分野も急速に成長していることが、アメリカ国防総省の資料でくわしく紹介されている。

インドにおいても安全保障上の懸念が技術革新を後押ししている。これまで中国を中心とした海外からの投資によってIT企業が成長してきたが、充分な競争力を持つにいたった現在は海外からの影響を抑制し始めている。

中国とインドはどちらも国内市場が巨大であり、労働市場も大きい。そして人材のモビリティは高く、しかも組織化されていない。スキルが高く、起業家精神に富んだ若者もいる。これらが両国の閉鎖経済発展の背景となっており、さらに政府が国内産業を保護していたことも国内で新しい産業が成長した大きな理由となっている。

中国は国内を制御可能な巨大市場に育て、それを足場に世界市場でのプレゼンスを高めようとしている。インドのアトマニルバール・バーラト（自立したインド）

も同様の方向性だ。

アメリカではトランプ政権の経済ナショナリズムの成果によって、閉鎖経済化が経済成長をもたらすことがわかり、バイデンも同じく閉鎖経済化を進めている。

しかし、気になることもある。現在、3カ国は経済的に依存し合っている。中国という市場を失えば、アメリカ企業は成長や技術革新に必要な利益をあげることができなくなる。同じことはアメリカ市場を失った場合の中国や、インドにも言える。

アメリカは同盟国であるヨーロッパ、アジアの豊かな国、カナダから利益を得ようとし、中国とインドは豊かでないアジア、アフリカ、ラテンアメリカの市場から利益を得ようとするだろう。同盟国である日本は、アメリカに利益を提供することを期待されているわけだ。また中国やインドとの関係を良好に保つために、両国にも利益を提供することになりかねない。

これからのグローバリゼーションは、これまでとは異なるかたちになる。「自由で開かれた」社会であることを標榜しつつ、自国は閉鎖的になり、かつての帝国主義にも似たナショナリズムに基づいたものとなる。この動きは、「民主主義を標榜する独裁主義」国家が世界でもっとも多くなっていることと無縁ではない。世界はあらゆる側面で権威主義化、独裁化しつつある。表向き民主主義や「自由で開かれた」ことを標榜しているために気づきにくいだけなのだ。10年後も表向きは民主主義を唱える国はまだ多いだろう。しかし、実際に民主主義である国がどこまで残っているかは疑問である。果たして日本はどのような統治体制の国家になっているのだろうか？

さいごに　真実や常識は変化する

ここまでクイズに答え、コラムを読んだ方の中には、常識と思っていたことや真実と思ってきたことがそうではなかったと驚いた方もいると思う。実は真実や常識は変化する。世界の多くの人が信じている科学的事実ですら、新しい理論や事実の発見で覆され続けてきた。歴史的事実は同じ時代にあっても地域によって認識が異なる。当然、常識も変わる。

変化の元となるのは、科学でも歴史的事実でも常識でも社会の変化だ。科学的発見でも社会的環境が影響を与えていることは、1962年に科学哲学者トーマス・クーンが『科学革命の構造』で明らかにした。ふつうに考えても、多くの予算が割り当てられる理論には多くの人材が集まり、そうではない理論には人が集まらない。実験や検証のための調査を行うためにも予算は不可欠だ。その予算は政府と民間企業から出資されることが多い以上、予算配分は社会的影響を大きく受ける。結果的に政府と企業が関心を持つ理論に多くの予算が割り当てられ、成果が出て、そうでない理論や検証は成果を出しにくくなる。また多くの予算がつくことで利権を巡る組織的軋轢（あつれき）も生じやすくなり、バイアスがかかることもある。

ネットで覇権を握っているネット企業たちは知らない間に我々の社会の常識を書き換えつつある。たとえばグーグルとフェイスブックは世界およびアメリカのデジタル広告市場を寡占しているが、いまだに独占禁止法の適用を受けていない。

時代的な背景として、グーグルが基盤を作った時は9・11の騒乱の時期であり、諜報機関など政府機関が急速にグーグルに接近し、グーグルは法規制を考えずに好き勝手できたこともある。その後、オバマと緊密になり、政権内部に深く食い込んだ。グーグルのCEOエリック・シュミットはオバマ当選後、移行経済諮問委員会のメンバーになり、本書で紹介した『監視資本主義』では、グーグルが自社の利権を守るために4つの要塞を築いたと表現されている。

●グーグルは選挙で候補者に優位性をもたらす自らの能力を証明した。
●グーグルが重要な成長を遂げた2009年から2016年までの間に、同社とオバマ政権との間で多くの人材交流を行った。
●グーグルはコネと積極的なロビー活動を通じて官民の関心を意図的にぼかした。
●政策立案と世論と政治認識の形成に欠かせない学術的活動、および、より大きな文化的会話に影響をおよぼすために、グーグルは強力なキャンペーンを打った。

グーグルはネットを通じて莫大な利用者に影響を与えつつ、政治や社会にも影響力を行使している。たとえば２００９年以降、大学や市民団体に多額の支援を行い、２０１８年にはロビー活動に１８００万ドル（約18億円）も費やした。社会のいたるところへの影響力を金で買いまくっているのである。

その後、グーグルは少し金額を減らしたが、それ以上にフェイスブックやアマゾンが資金を投入した。２０２０年に費やしたロビー活動費用は、フェイスブック20億円、アマゾン約18億円を筆頭にして、アップル、マイクロソフト、ツイッター、Uberなど7社の合計で約64・9億円だったという。

TikTokで有名なByteDance社の２０１９年のロビー活動費用はおよそ３０００万円だったが、２０２０年には約2億５８００万円に激増させた。その他のネット企業もロビー活動費用を増加させている。バイデン政権は規制強化を進める見込みであり、ロビー活動費用の増加傾向はさらに加速しそうだ。

すでに我々はグーグルたちの作った常識を当たり前として受け入れている。無料でサービスを利用しているのだから、報酬をもらえないのは当たり前でオプションの機能は有料でもいい。しかし、すでに記したようにグーグルはアップルのiPhoneに検索機能を優先的に利用してもらうために1兆円を支払っている。利用者には、「利用者が無報酬なのは当然」と思い込ませる一方で、自分たちの間では「利用者を確保するためには多額の出費は当然」と考えている。

常識は変化する。このように利益のために都合のよい常識が作られることもある。あるいは遺伝子操作が広く行われるようになれば常識も大きく変わり、真実も多様になる可能性がある。法律制度が整っていないネットで新しい常識を作り出して莫大な利益を上げたグーグルやアマゾンなどの企業は宇宙を目指している。そこでは法制度が未整備で新しい常識を作り出して莫大な利益を得ることができると考えているのだろう。成功パターンを繰り返そうとしている。

新しい真実や常識を知り、その真実や常識がそうなった理由を知り、自分にとっての真実や常識を見つけてゆく時代になっている。

本書は、「ｗｅｂ集英社文庫」二〇二〇年五月～二〇二一年八月に配信されたものにコラムを加え、加筆・修正したオリジナル文庫です。

本文に出てくるウェブサイト等の情報は二〇二一年一一月現在のものです。

一田和樹の本

原発サイバートラップ

韓国原発でサイバーテロ発生！　犯人は、要求に従わなければ核廃棄物を積んだドローンを使い原発を破棄するという。疑心暗鬼の韓国、動けない日本、暗躍するアメリカ……事態の行方は!?

集英社文庫

集英社文庫

最新！　世界の常識検定

2021年11月25日　第1刷　　定価はカバーに表示してあります。

著　者　一田和樹

発行者　徳永　真

発行所　株式会社 集英社
東京都千代田区一ツ橋2-5-10　〒101-8050
電話　【編集部】03-3230-6095
【読者係】03-3230-6080
【販売部】03-3230-6393（書店専用）

印　刷　凸版印刷株式会社

製　本　凸版印刷株式会社

フォーマットデザイン　アリヤマデザインストア　　マークデザイン　居山浩二

ISBN978-4-08-744323-3 C0195